林慶彰 總策畫
民國時期稀見期刊彙編
第一輯

哲學科研究年報⑤

臺北帝國大學研究年報

第十一冊

哲學科研究年報

第五輯

臺北帝國大學文政學部

臺北帝國大學
文政學部

哲學科研究年報　第五輯

目次

教育作用の規範「道」

伊藤猷典

本論文は昨年出版せる拙著 A New Approach to Pedagogics and its Key-Stone *Michi*. Part IV. の中、IV The 'Michi' (way) as the Norm of the Educational Activity (pp 164–198) に於て述べたると殆ど同一内容を和文にて述べたるものである。前書に於て既に御承知の方に取りては、本文は論旨の徹底以外に別段の興味を起し得ない冗文にすぎないことを遺憾に思ふ。

目次

序說

目次

い　序説

人間生活の最高指導原理が同時に教育作用の指導原理であることは論證を俟たないであらう。けれどもそれだけでは、教育作用の指導原理と科學、藝術、宗教等の他の文化作用の指導原理との區別が明かでない。科學に於ての眞、藝術に於ての美に相當する教育作用に於ての指導原理は何なるか。

A　教育價値に關する三種の概念

普通に教育作用に於ける限定原理として用ひられてゐる教育價値といふ概念は左の三種に解されるやうである。

a　教育に對して何者かゞ持つ所の價値、例へば教材としての文化財の如きもの

b　何者かに對して教育が持つ所の價値、例へば人格發展のための、社會生活のための教育といふ如きもの

c　約言すれば前二者の根據となるもの、詳言すれば教育に對して何者かゞ

持つ爲の價値、又は何者かに對して教育が持つ所の價値といふ時、かゝる判斷の權利と可能性とを把へるための根據となるものである。何者かゞ教育上價値があると謂はれるためには、その事は教育の本質から眺められてゐなければならない。教育價値とは凡ての教育判斷、教育目的、教育手段、教育可能性、教育材、教育形式、教育認識等の前提として解せられるものである。教育作用の最高指導原理としての教育價値なる概念はかゝる意味に解すべきであらう。

B　教育價値の有無につきて

次に教育特有の價値の有無については、無關心でゐるものと、全然否定するものと、肯定するものとの三種の立場が考へられる。無關心でゐるものに就ては寧ろ憐むべきで、こゝに問題とする必要はないであらう。否定の立場は、教育は決して自ら自分自身を決定するのでなくして、寧ろ他の文化價値が教育に置く所の要求から決定されるので、即ち單なる奉仕價値しか持たないと主張するものである。第三の肯定する立場は教育の普遍的妥當性を捉へ得たと信じ、少くとも爾餘の價値と同位にあるもの、或は爾餘の價値をして初めて價値たらしめる所の精神の最高法則に迄引上げるものである。而して、否定、肯定の兩立場は相排反する立場であるから、一方が成立するならば他方は成立しないものと見て差支ない。、仍て自分は第三の肯定の立場について検討しようと思ふ。

C　ケルシェンシュタイナーの教育價値說

この點に關し吾人の先蹤と見るべきものにケルシェンシュタイナーの說がある。(Georg Kerschensteiner:Theorie der Bildung S. 81 參照) 大要は次のやうである。

無條件に妥當する價値の概念が眞・美・聖・善の價値概念に分割されるとするとき、教育の理念も亦無條件的に妥當する價値でなければならない。何となれば我々の定義に從へば教育の理念は價値意識の統一的な、しかしながら個別的な秩序に外ならないからである。而してそれは、體驗され、無條件的に妥當する價値から作られたものであり、爾餘の價値は必然に此等の價値中に秩序づけられ、且此等に從屬するものである。教育の理念は眞・美・善等の理念と同樣に無限に多くの個別的な形式に於て實現され得る。かゝる教育の理念の完全性に於て考へられた一般的な形體をば吾人は教育理想といふ。……人道主義の教育理想の中には此等四種の無條件的に妥當する價値が調和的な平均に於て考へられてある。……故に理念としての教育は、眞美善聖と同樣に無條件的に妥當する價値である。教育されたものはこの價値の運載者であり、それは文化財である。」と。

ケルシェンシュタイナーの企圖は汲むべきであるが、單に爾餘の價値が秩序づけられる又は從屬するといふ標幟だけでは未だ不充分のやうに思はれる。眞善美等の諸價値との識別をなすためには、今少し嚴密に教育價値の内容を說明する必要なきか。

D　教育作用に於ける兒童の摸倣作用と規範意識「追」

それについて最初に思ひ浮ぶことは教授作用に於ける兒童の摸倣活動を検討することである。自分は岩波講座教育科學第四册拙稿「教育者の操るべき生命の範疇」二九頁に於て、作用面の充實面に於ては、技術は摸倣として、道徳は追蹤として、宗教は追體驗として現はれることを說いたのであつたが、この追なる特徴を更に檢討することによつて、この問題の解決の手懸りを得るのではないかと思はれる。

教育の場合の摸倣、乃至は追蹤には誤りなく、迷ひもなく、直通して目的地に到り得ることを豫想してゐる。先人のなした數多の失敗、過誤を再びなさない公道のあることを豫想してゐる。

教育に於て助成作用を云爲するとき、教育者は價値の一定點を指示し、被教育者をしてこの一定點迄誤りなく、追蹤せしめることを意味する。單なる方向ではなくして、方向の上に更に一定點を明示し、且誤りなく達せしめない限り、助成作用の方法を云爲することは無意味であらう。一定點を明示し、被教育者をしてその一定點に迄誤りなく追蹤せしめることが助成作用の中心目標であるとするならば、その目指す目標は廣義の價値の內の特殊なものと云はなければならない。

ヴィンデルバンドが說いたやうに、價値とは評價する意識に對する關係に於てのみ存するものであり、價値意識は規範意識を指示し、この指示は要請であるとするならば、さうして又、氏が聖をば眞善美等が構成するやうな一般妥當的な價値の中の特殊な部類を意味するのでなくして、却て此等の價値凡てが超感的實在に關係を有する限り、此等の凡ての價値其物を意味するのであると說いてゐるのと類似の用法に於て、卽ち眞善美等の價値と全く別種な部類の價値を意味するのでなくして、有限的の各人がこれ等の價値と關係を持つ限りに於て必然に要請しなければならない關係の意味に於て、教育作用の場合に於て要請せられる規範を價値と呼び、他の價値と區別するために特有の名稱を必要としないであらうかとも考へられる。

教育作用に於て問題とされる價値は、眞とか善とかの價値の中で、先代者によつて旣に到達せられたものを先代者の代表者としての教育者を介して、後代者の代表者としての被教育者によつて追體驗、追創造されるのである。この追體驗、追創造に共通なる追なる意識は、人間性によつて要請されたる規範意識でなからうか。

しかしこゝに注意すべきは今いふ追なるものと、精神科學的方法に於ていふ追なるものとの間には次の三點に於て重要なる區別が存することである。(a)精神科學に於ていふ追作用の客體は精神作用一般であつて、特に限定されてゐないが、教育作用に於ていふものは先代者の持つ創造作用を其儘に、或はより以上に追創造作用し、追生活することを意味する。(b)示されたる跡を辿れば必ず誤りなく目的を達し得ることを豫想する。曖昧模糊たる道を辿るのではない。從つて、(c)教育に於ていふ追體驗、追創造が眞に追體驗、追創造であるためには、教師又は師匠よりの證明、印可を必要とする。印可、證明のないものは相續者、後繼者としての資格なきものである。教育に於ては教育者と被教育者と相對立し、兩者の間の作用の完成を證するために、印可、證明を必要とするのであるが、精神科學的方法に於ていふ追體驗、追創造に於ては教育者、被教育者の對立はなく、又兩者間の作用の完成を證すべき何者もない。創造作用を創造作用として相傳へることゝ、それについての印可、證明のあることは教育作用に於てのみ見られる唯一の特色である。

何故に印可・證明を必要とするかと問はれるならば、作用を作用として承傳するからであると答ふべきであらう。單なる文化財を財として傳へるならば、例へば某々の美術品を甲の所有主より乙に傳へるといふならば別段の問題はないが、某々の種類の學校教師となるためには、某々の試驗を受け、それに及第する必要があり、且及第したことの證として客觀的の證明を必要とする如きである。今日の教育組織に於ては教材、學習、試驗、進級の四者が脣齒輔車の關係にあることはこの理由に基くのである。

前述のやうな意味に於ての追なる意識を規範意識と見ることに於て誤りないとするならば、この追なる意識に特有の名稱を與ふるとも何等妨げないであらう。否寧ろ適當なる名稱を與ふべきであらう。

自分はかゝる規範意識に冠する名詞には東洋特有の恰好の文字あることを喜ぶものである。それは卽ち「道」なる文字である。今その適當なる所以を次に論證しよう。

ろ　古來より使用されたる道の意味について

人間は第三次元的存在者として、その存在の條件は環境と歴史とに依存してゐる。而して環境と歴史を通して人間を繫ぐ役割を演ずるものに言語がある。言語は一面に表現機關として人間によつて構成されながら、他面に表現されたる言語は社會的歷史的產物として、人間を拘策し、人間に影響を與へる。かゝる影響を與へる顯著な例として、眞僞、善惡、美醜等の語の外に「道」なる語を擧げることが出來ないであらうか。他面に言語は思想の形式化されたものと見られるから、逆に思想の存在が言語の存在によつて推定されることは可能と云はなければならない。今問題とする「道」なる語についても、その意味の多樣なること、並にその轉化の樣子は同時に「道」と關する思想の多樣なること並にその論理の展開を知る手段とも見られ、更に又人間に及ぼした影響の樣を知る手段とも見ることが出來るのでなからうか。かゝる理由から最初に古來より使用されたる「道」の意味について檢討しよう。

(い)　國語「みち」、漢字「道」の意味について

國語「みち」、漢字の「道」の意味については一括して述べることゝする。

「みち」「道」の意味につゐては大槻文彦著、大言海には、(1)路、(2)事の理、(3)學問、藝術などの方法、(4)征伐、(5)物へ行向ふこと、(6)道程の六種が、漢和大辭典には、(1)通行の徑路、(2)履行の理義、(3)施行の方法、(4)由る所、經る所、(5)行くこと、經ること、(6)禮樂刑政、(7)才藝技術、(8)教義、學問、(9)原理妙用、(10)方面、(11)貫條ぬ十一種と、外に、(1)言ふ、(2)由る、(3)從り、(4)治む、(5)導く、の五種が、合計十六種が、又辭源には、(1)路、(2)理、(3)術、(4)通、(5)順、(6)宗教名、(7)地理上の區劃、(8)姓、(9)言、(10)由、(11)治、(12)引、(13)從、の十三種が列擧されてあるが、此等の多樣なる意味は論理的には、(1)通行の道路、即ち有形の道と、(2)萬物に具はる無形の道、(3)取るべき手段、進むべき方向の指示、(4)到達し得たる境地の四種の意味に直接、間接に集約されるであらうことは一々の論證を用ひるを要しないであらう。たゞ一つ問題になりさうなのは道が征伐の意味に用ひられることであるが、これは後に觸れるであらう。今は論理的に

配列された前記四種の各〻について具體的に説明しよう。

A　有形の道

通行の徑路、地上に往來すべく拓き設けたる所、道、逕、路、道途、行路などゝ呼ばれるもの、「道に落ちたるを拾ふものなし」の道、「周道砥の如し、その直きこと矢の如し」の道がこれである。本居宣長によれば、日本上代に於ける道の意味はこの外になしと。（本居宣長著、直毘靈参照）

地表の道路によりて目的地に容易に到達し得られることは、やがて、地表の地理的關係ばかりでなくして、事物にも、單に有形の事物ばかりでなく、無形の事物にも從つて萬物にも道が存在すると考へるに到つたのは自然の徑路と見なければならない。卽ち次に示すのがそれである。

B　無形の道

萬物に備はる無形の道とは、萬物の理、人倫の根原、原理妙用を指すものである。易に「一陰一陽之を道と謂ふ。之を繼ぐ者は善也、之を成す者は性也。」荘子、繕性篇に「道は理也」信心銘に「至道難なく唯揀擇を嫌ふ……大道體寛く、難なく易なし」と云へる場合の道の意味がそれである。

道は萬物にあり、在らざる所なきものと迄に見られてゐる。莊子、知北游篇に「東郭子莊子に問ふて曰く所謂道は惡くにあるか。莊子曰く。在らざる所なし。東郭子曰く、期して後可か(所在を指明せよの意)。莊子曰く、螻蟻に在り。曰く何ぞそれ下れるや。曰く、梯稗にあり。曰く、何ぞそれ愈〻下れるや。曰く、瓦甓にあり。曰く、何ぞ其れ愈〻下れるや。曰く、屎溺に在り。東郭子應べず。」とあるのはその好例であらう。

萬物の理、人倫の根原といふ概念は一定の事物に到るの道、人間の向ふべき方向を指示することゝなる。而してそれは、事物と人間とに大別して例示すると次のやうである。

C　各人の共に由る所の路

(a)　事物に到る一定の理、一定の仕事、業の施行の方法、手段を指す。左傳に「道を虞に假り以て虢を伐つ」史記に「此れ危道也」漢書に「諸使者長安道ョり來る」中庸に「和は天下の達道也」莊子、漁父篇に「道は萬物の由る所なり。庶物之を失ふ者は死し、之を得る者は生く。事を爲す之に逆へば敗れ、之に順へば成る。故に道の在る所聖人之を尊ぶ。」荀子、正名篇に「道は古今の正權也。道を離れて内自ら擇べば禍福託する所を知らず」と說き、楊倞之に注して曰く、「道能く禍福の正を知る。權の輕重の正を知るが如し。權を離るれば輕重を知らず。道を離るれば禍福を知らざるなり」と。歌道研究會、書道研究會など呼ぶ場合の道の意味が之に該當する。

後の莊子と荀子の用語例は單に事物ばかりでなくして人倫にも適用せられ得るものであるが、更に明白に人倫の規範、履行の理義の用例を示すと次のやうである。

(b)　人倫の規範、履行の理義

菅子に「君臣理に順つて之を失はざるを道と謂ふ」「君子道に食す」左傳に「仲尼曰く、道を守るは官を守るに如かず」論語に「朝に道を聞いて夕に死すとも可なり」「誰か能く出ること戸に由らざらん。何ぞ斯道に由ること莫きや」とあり。朱子は中庸に於て道を解して曰く「日用事物の當に行ふべき理なり」。孔安國は孝經の句、要道に註して曰く（一說に僞作なりと。されど論理的には興味あるが故に揭ぐ）「道は萬物を扶持し、各〻をしてその生命を終らしむるものなり。人に施せばその行を變化して正理に之かしむ。故に道身にあれば言自ら順に、行自ら正し。

君に事へて自ら忠に、父に事へて自ら孝に、人と交つて自ら信に、物に應じて自ら治まる。一人之を用ふれば餘りあるを聞かず。天下之を行へば足らざるを聞かず。小しくこれを取れば小しく福を得、大にこれを取れば大に福を得。天下之を行へば天下服す。是を以て總じて之を言へば一に之を要道と謂ひ、別けて之を名くれば之を孝弟仁誼禮忠信なり」(古文孝經)と。

其他、君道、帝道、天道、地道、人道、父道、母道、子道、聖道、正道、外道、邪道、王道、臣道、古道、常道、至道、祖道等は人間の踏むべき規範的方向を示すものである。若し日本に於ての文獻を乞はれるならば徂徠の次の句を掲げうるであらう。「道は統名なり。由る所あるを以て之を言ふ。蓋し古先聖王の立つる所なり。天下後世の人をして此に由つて以て行はしむ。而して己も亦此に由つて以て行ふ也。辟へば諸人道路に由つて以て行くが如し。故に之を道といふ。孝悌仁義より以て禮樂刑政に至る。合せて以て之に名づく。故に統名と曰ふなり」。(荻生徂徠、辨名)

D　道を通じて得たる到着點

道の意義は前項にて述べたやうな各人の共に由る所の路の意義より、更に轉化して、由りて得たる到着點をも意味することゝなつてゐる。蓋し「道」と目的とは究極に於て一致してゐる。全く別種なものではない。富士山へ登る道は、富士山を離れて別に存在するのではない。京都より東京へ到るの道は究極に於ては東京と結合してゐる。單に結合してゐるのでなくして東京其物である。若し道と東京とが全く別種のものならば、道は絶對に東京に通ずることは出來ない同樣に科學を修むる道は、究極は科學であり、藝術を修むる道は究極は同じく藝術である。

道といふ言葉は不思議な事には過去に於て前述の意味の有形、無形の到着點の名稱にも用ひられてゐた。

(a)　有形の到着點

有形の到着點としては地理上の區劃を擧げることが出來る。廣雅に道は國也と云へる。又唐が天下を分ちて十道となし、我國にて皇居のある周圍を畿内と稱し、他を東海道、東山道、北陸道等七道となせる如き、更に又京都より地方の國を指し、みちのおく(陸奥)、こしのみちのくち(越前)、こしのみちのなか(越中)、こしのみちのしり(越後)、きびのみちのくち(備前)、きびのみちのなか(備中)、きびのみちのしり(備後)と呼びし如きこれである。

この意味の言葉は更に國を治める人に迄も關聯して用ひられて、道主(ミチヌシ)は國主を指すこともあつた。(大槻文彦著 大言海參照) 先に問題として遺して置いた、道が征伐の意に用ひられたことも、かゝる用途から更に展開應用されたのであるまいか。

(b) 無形の到着點

道の到着點の無形のものとしては百般の學問、藝術などの術(ワザ)、方法を擧げることが出來る。神代記に「定ニ療ㇾ病之方(ミチ)ニ」と云へる、源氏桐壺に「みちみちのざえを習はせ給ふ」同花宴に「みちみちのもの上手ども多かる頃ほひ」と云へる場合のみちみちの道の如きその例である。

漢和大辭典の編纂者によれば、詩經の顧ニ瞻周道ㇾの道は禮樂刑政を指し、周書「有道者」の道は才藝技術を指し、史記、「上好ニ仙道ㇾ」の道は教義、學問を指すとのことである。徂徠も「道は統名なり。禮樂刑政凡そ先王の建つる所の者を擧げ、合せて之に命ずるなり」と述べてゐる。(徂徠著、辨道參照)

我國にて一藝、一道の達人を「道者(ミチノモノ)」と云ひ、諸道の師を「道師(ミチノシ)」と云へる、雙六の勝敗、カケクラなどの諸道の競技を「道競(ミチクラベ)」と云へる場合の道、近時、劍道大會、柔道大會、弓道大會など呼ぶ場合の道の如きこれである。

しかしこゝに注意すべきは、第四の意味の、即ち道を通りて得たる到着點をも道と呼ぶことは表現上、混同を來し、不自由を感ずること少くないので、別に有形の到着點には國、無形の到着點には藝とか技術とかの特別の名が用ひられた。學說にしても「道」とは云はないで「道教」と呼ばれてゐる。かく名前が別々に用ひられるに到つたことは教育作用とこれに類似の他の作用とを區別するに到る論理的前階として、興味あることのやうに思はれる。

E 「道」の持つ共通の意味

「道」なる言葉の持つ主要なる意味は前記の四種を以て盡されてゐることゝ信ずるが、更にこゝに注意すべきは、前記四種の中、前三者には、看過することの出來ない重要なる共通の意味があり、說文學者によりて、このことが巧みに表現されてゐることである。勿論、說文學者は前記四種の意味の中の第一種の解釋としてのみ述べたのであらうが、自分の見る所では、その言葉は啻にそればかりでなく、第二種、第三種の意味に共通なる、否基礎となる意味を有つことである。即ち「一達之を道と謂ふ」ことである。目的地に(或は物に)專ら達せしめるものを指して道と稱することである。

爾雅、釋宮によれば一達之を道路と謂ひ、二達之を岐旁と謂ひ、三達之を劇旁と謂ひ、四達之を衢と謂ひ、五達之を康と謂ひ、六達之を莊と謂ひ、七達之を劇驂と謂ひ、八達之を崇期と謂ひ、九達之を逵と謂ふといふことである。而して此等の使用法の定例の有無については說文學者間にも疑問あるやうであるが(說文解字詁林、道の項、段注匡謬、參照)しかし、道が人をして目的地へ迷はず、達せしめることを意味する點だけは動かないやうである。

前述の一達の「一」は元來は二三四……に對する一であつたのであらうが、しかし、一と云ふ文字はかゝる相對的の意味の外に、純一とか、專一の意味を有する。「道」としての哲學的意義は後者の意味に取るとき一層明確に現はれるのでなからうか。

この一達の意味と前述の第四の意味、即ち到達し得た境地を指して道と稱することゝは、即ち前三者と第四者とは性質の全然異なつたものでないとしても、論理的には明かに手段と目的との混同であり、先に述べたやうに、後世別の言葉の用ひられるに到ったことは當然のことと思はれる。後に說くであらう所の教育規範としての「道」は主として、第二、第三の意味であり、第四の意味は目的點としてのみ意義を有するものと思はれる。
道の意味の多樣なるに關聯して興味あることは「行」の意味である。行は道路を步み、前み、臻ることを指し、又爲すこと、用ひること、施すことを意味する通行、徐行、跣行等と熟字されると共に、直情徑行、獨立獨行など熟字されてゐる。蓋し、道を步むことゝ、事を行ふことゝは、目的を達する方法といふ一點で同一基調に立つことから同一文字が用ひられるのでないかと想像される。

(ろ)　西洋語「道」の意味について

W. Pape's Griechisch=Deutsches Handwörterbuch に於て希臘語 ἡ ὁδός には道路、步行の動作、並に或る事柄をなす手段、方法の三種の意味あること、Georges : Ausführliches Handwörterbuch Lateinisch-Deutsch に於て拉典語 Via には、(1) 人間の步む空間、即ち道路、街、舞臺の花道、衣服の條等、(2) 步行、旅行、進軍、(3) 生活の道、例へば生命の正道を步め (rectam vitae viam sequi)、光榮への道

(via ad gloriam)、(4)何事かを爲す爲の手段方法（例へば、(治療法 Via curandi) 死の凡ての手段を盡して (Per omnes vias leti)〉の四種の意味あること。

英語の Way には A New English Dictionary (Oxford: At the Clarendon Press. 1928) の編纂者によれば大別して三十八種、細別すれば壹百五十六種の使用別が列記されてあるが、これを要約するならば、(1)道路、(2)歩行、旅行、(3)動作(道德的並に宗教的)の進路、(4)目的を達する爲の手段・方法、(用例 Where there's a will there's a way) の四種の意味あること、

佛語の Le Chemin、獨逸語の der Weg の何れもが道路、並に物事をなす手段、過程の兩者を意味すること、

などを知るとき、東西の語に共通點多きに驚くことであり、特に興味多きは宗教的の用法としては使徒行傳に於て、希臘語の ἡ ὁδός、英語の The way が天國へ導く道の意味に (I am the way, the truth and the life, no one cometh to the Father but by me.) 用ひられてゐることとは佛教に於ける四諦說に於て、涅槃へ行く路が「道諦」と名づけられてゐることゝ揆を一にしてゐること、同じく英語の The way が動物、特に馬の後天的習慣並に藝能を表示する語に用ひられてゐることが、

前述の東洋語の、才能、技藝を指すのと半ば相似たることである。

獨逸語の der Wegbahner が開拓者を、der Wegweiser が手引を、der gerade Weg（英語の right way）が直道の外に正義を意味すること、英語で to make one's way が事をなすべき手段を工夫することを、to have the way が事を如何になすべきかを知ることを、to see one's way が彷徨ひ又は躓かないやうに注意することを、half way が中道を、The way's end が、旅行の終り、仕事の完成を意味することなどは東洋語と同様に、本問題の解決に多大の貢獻をなすやうに思はれる。

しかし、斯く云ふとも、東洋語の「道」が前記の諸外國語と全く相同じといふのではない。王道、至道などはそれぐ the kingly way, the perfect way と譯されて、符節を合する如くであるが、「道に常名なし」は there is no constant name for the "truth"—it appears as confucianism, Buddhism, Christianity, etc (Giles : Chinese-English Dictionary) と、道以德は (the wise man) leads men by the example of his own moral character (同上) と、一達謂之道が that which passes through is called tao (同上) と、又中庸の「率性之謂道」の道が The path of duty (James Legge : The Four Books. P. 349) と譯されてゐることを以て見ても、その同じからざることを知り得る。若し「道」なる文字を意譯し、意味の

異なる毎に譯語を變へるならば、道といふ文字の妙味は表はれない。否、文字の妙味と云ふよりは、人間の持つ「道」についての「考へ方」の轉回の微妙なる樣は判らない。嘗てハイデガーは自分に希臘語と獨逸語によつてのみ「哲學する」ことが出來ると話したのであつたが、しかし、これは他國語を解し得なき井蛙の見と見るべきであらう。この「道」に關しては東洋語によつて一層よく哲學することが出來ると云ひ得ないであらうか。

は「道」より誘導される主要なる意味

道なる言葉が、通行の道路から、通行する作用に、更に物事をなす手段、方法迄も意味するやうに使用されてゐることが東西共に揆を一にしてゐることは、思惟の發展の論理的徑路も伺はれて誠に興味多いことであるが、教育學徒から見て更に興味深いことは「道」なる言葉より誘導される次に述べる如き意味である。

A　物に到る始の意

道は通ずるといふ意味から、更に物に到る始を意味する。說文解字詁林によれば、辵は乍行き乍止るなり、首は始なりと、同じく說文解詁林によれば、韓非子、主道には「道は萬物の始め、是非の紀なり」鬼谷子陰符には「道は天地の始なり」法言、問道には「道は通也、通ぜざるなきなり」と說かれてあるといふことである。故に說文學者は「道」の解說に當りて「身を立て道を行ふ當に其始を愼しむべし。積ること久しければ自ら返る能はざるなり」と誡めてゐる。

英語の to make way が「道を開くこと」「旅行、航海を始めること」、「人と關係を結ぶ手始めを開くこと」などを意味することは興味あることでなからうか。（A New English Dictionary vol. X. Part II. Way の項參照）

B　指導の意

道を歩めば自然に目的地に達する。道はこの意味に於て吾人を目的地へ手引するものである。從つて、手引、道案內、更には誘引の意味の生ずることは自然である。論語に「之を道くに德を以てす」とあるはその典型的の例と見るべきであらう。猶例を擧ぐれば道之以文辭（春秋左傳、襄公）道之以訓辭（同、昭公）道之以禮（同、文公）の如きものがある。

指導の意味に因みて興味あることは、路の方向など記したる木石の材を「みちしるべ(路導)と呼び、古へ技藝を傳へる師とすべきものを「みちのし(道師)と呼び、難波の藥師、河内の畫師の如きありしことである。而してこの「みちのし(道師)」のあることは、論理的には必然に次に述ぶる道を知る方法を前提とする。

C　道を知る方法

有形の道が「みちしるべ」により、無形の道が「みちのし」又は「みちびきびと」によりて知らるゝことはやがて、道を知る方法を示せるものにあらざるか。

道は學ぶことによつて得られる。禮記に曰く「人學ばざれば道を知らず」又曰く、「嘉肴ありと雖も食はざれば其旨(ウマキ)を知らざるなり。至道有りと雖も學ばざればその善を知らざるなり」と。中論、治學第一に曰く「馬に逸足有りと雖も輿を閑(ナラ)はざれば良駿と爲らず。人に美質有りと雖も道を習はざれば君子とならず。故に學者道を求め習ふなり」と。

しからば如何樣にして道を知るか。漢書に曰く「師を承けて道を問ふ」と。

これの反語をなすものに「道を盲に尋ねる」といふ諺語がある。韓愈、答陳生書には「是所謂、聽を聾に借り、道を盲に問ふものなり。それ之を請ふ勤々、之を教ふ云々と雖も、未だ其得を見る者あらざるなり」と。

之を要するに「道」より誘導さるゝ主要なる意味としては、(1)物事に取りかゝる初め、(2)指導、(3)教師の三者を擧げることが出來る。換言し且約言すれば、凡そ物事に取りかゝる初めには指導者の指導を待ちて道を歩むと云ふことである。

に　道の概念(一　達の原理)と教育方法

古來より多くの教育學者、並に教育實際家によりて唱導されてゐる「自然に從ふ教育」とか「自然に歸れ」とか、「生活は教育す」とかいふ標語、乃至は「解放か拘束か「指導か放任か」の論題の如きは何れも教育の方法は如何にあるべきかに就ての、換言すれば兒童を如何様に指導すべきかの指導方法を中心として書かれた渦卷にすぎない。所謂無方の方もこの埒を出でないものである。即ち教育論に於ての中心問題は、擧げてこの指導方法如何の問題にかゝつてゐると云ふも過言ではないであらう。

兒童の自發性について知る人は、最早教材の注入を認めない。今日教師にとりて問題となるのは兒童が教材を最も效果的に會得するためには、教師は如何様に指導すべきかと云ふことである。換言すれば教材修得と云ふ目的を達する爲の手段。方法は如何にあるべきかを指示することである。目的が人格陶冶にあつても、その論理に變りはない。この場合教師より兒童に示さるべき手段方法は、教師の憶說、獨斷、乃至は試驗的のものであつてはならない。何故ならばかゝるものは人の子を損ふものであるからである。人の子を損はないためには、示さるべき方法は確實のものでなければならない。既に試驗濟みのものでなければならない。その方法によれば必ず目的が達せられるものでなければならない。所謂試行錯誤の方法と雖も、教師より見れば、既に試驗濟みの、且既に幾度か實施された確實なる方法なのである。かゝる教育の場合に指示される方法が、既に先人の用ひた、乃至は試驗濟みである點、且目的には必ず到達すると云ふ一點は先に述べた有形の道の意味と相通ずる。即ち道は嘗て先人によつて、單に一人でなく、數十百千人によつて踏まれた跡である。これを通過することによつて確實に誤りなく先方に達するのである。だからこそ說文の記者は一達之を道と稱したのであらう。教育に於て示さるべき道と、通行の意味の道とはこの點に於て意味相通ずる。

道は數あるであらう。けれども數ある中、大道を行くことが常に定石とされてゐる。俚言に曰く、「道は遠しと直をゆけ」と。

說文學者によると道には直道と衺徑の別がある。直道は川に循つて涂、衺徑は山を越えて便、行くこと利速である。直道は夷らで且遠いが、安逸であつて心配がない。衺徑は速く行けるが、危險であり、心配が多い。跋躓の懼はないが必ず虎狼の患があると（說文解字詁林 二下 八〇〇以下「道」の部「繫傳通論」參照）「遠くとも直を行け」とか、衺徑には近くて便利であつても虎狼の患があることを誡めてゐるのは「一達の原理」に基くのである。

道を行くものに取つては、遲速、難易は第二義である。目的地に達することこそ第一義である。速くとも危險なるものは避け、遲くとも確實に達せられる道を取るべきである。所謂一達の原理こそ、道を行くものに取つての指導概念と云ふべきである。而してこの有形の道について說かれてゐることは、同時に教育の方法についても其儘に云ひ得ることでなからうか。

凡そ教育と呼ばれるとき、指導の意味が含まれてゐる。指導の意味を含むことは、踏むべき道を前提としてゐる。而してこの踏むべき道は、事物に到る一定の理を指すこともあり、又人倫の規範、履行の理義を指すこともあるは、何人も知る所であり、示される道が形而上的な無形の道に及ぶことは否定し得ざることとである。かく見來れば、古來より用ひられた道の意味が、同時に教育に於て取入れらるべき、卽ち指導概念として前提さるべき道の概念と一致することを知る。中庸の著者が「天命之謂性　率性之謂道　修道之謂教」と說いたことは、その形而上的部分は暫く除外視し、單に、道と教との關係についてのみ眺めるならば誠によく說かれたものと驚嘆する次第である。

ほ 「道」が教育作用の規範たるの條件

自分は今教育作用特有の最高指導原理を說くに當り、教育學界に於ての先蹤と見るべきケルシェンシュタイナーの說く教育價値なるものが漠然としてゐると云ふので之を排し、他に更に明確なるものなきかを豫想し、それを得る手懸りとして、教育作用に於ける兒童の追體驗、追創造作用を檢討し、追験、追創造作用中に含まれたる「追」なる規範的意識がヴィンテアバンドの云ふ規範の意味に於て教育作用特有の規範と、換言すれば最高指導原理となり得ないであらうか。若し可能であるとするならば、「追」なる規範意識に對して冠すべき適當なる名辭なきかと疑問を發し、かゝる要求に適ふものとして「道」なる言葉を探し當て、次に「道」なる言葉の從來使用されたる多樣の意味を探究することによつて、本問題研究上には豫想外の收獲があり、「道」なる言葉によつて却て教育作用の本質が照明される程であつた。實に對する賓を求めつゝあつた自分は今や却て賓によつて實が限定されると云ふ逆現象にさへ遭遇するに到つた。仍て自分は更めて「道」なる名辭について持つ吾人の規範的な意識が果して規範として、教育作用の最高指導原理たりうるや否やについて檢討しようと思ふ。

A　教育に取つて役立つ道の意味

教育にとりて役立つ道の意味については、換言すれば教育作用と相通ずる道の意味については既に、に、道の概念(一達の原理)と教育方法の所で說いた。しかし、道の意味は多數あつて、教育上取り難いものもあつた。故に今更めて、ろ、に於て述べた。古來より使用されたる多樣なる「道」の意味の內、教育に取つて役立つものと然らざるものとを鑑別しよう。

有形の道は、所謂一達の理を具體的に示し、教育作用に取り典型的な模範を示す點に於て意味を有するのみ。

無形の道は、例へば老子が「物有り混成す、天地に先つて生ず、寂たり、寥たり、獨立して改めず、周行して殆からず、以て天下の母たるべし、吾其名を知らず、之を字して道といふ、……人は地に法とり、地は天に法とり、天は道に法とり、道は自然に法とる（老子第二五章）」と說き、莊子が知北遊篇に於て說く如き道は、善意に解するも形而上的信仰たるに止まり、教育作用の規範となる迄には猶幾多の論證を經なければならないであらう。

各人の共に由る所の路の中、事物に到る一定の理を意味するものこそは、教育作用にとつて本當の意味あるものでなからうか。

人倫の規範、履行の理義を表示するものは元より道の中の最も大切なるものである。しかしこれは倫理學特有の領域に屬するものであり、教育固有の道としては狹きに失する。教育固有の規範としての道は更に遙かに廣き外延を有するものと見るべきであらう。

道を通して得たる到着點をも道と呼ぶことは論理的には手段と目的との混同

であることについては既に說いた。

之を要するに教育に取つて役立つ道の意味は、目的地へ或は目的物(單に個別的な目的のみでなくして、人生の究極目的をも意味する。)へ専ら達せしめるものを指すもの、換言すれば一達せしめる所以のものと限定し得るであらう。

B　存在としての道と規範としての道

ヴントの說によれば、獨逸語の Norm なる字が今日一般に行はれてゐる意味に用ひられる迄には數種の段階を經てゐる。第一段は、角の偏差を測る定規であり、第二段は、偶然的、特殊的事象と區別すべき、一般的、合法則的事象を語であり、第三段は規則其物を示し、行爲の最高規則を表示するに到つた

カント哲學の影響を受けて後の事である(Wundt: Völkerpsychologie IV. S. 201)と。即

一 Norm なる語も第一段では、經驗的個別的事物の意味に解され、第二段では、偶然、特殊と相對立した、一般的、合法則的事象の意味に、第三段以後に到つて初めて規則並に規範の意味に用ひられるに到つたのである。同様の事柄は矢張り、道についても云ひ得ないであらうか。例へば、廣文庫、道の項に、とついて白石先生紳書抄より引用してある次の句、

先生の給ふ。海中に魚道とて魚の通る道筋あるといふさも有るべし。試に鰤の魚に付いていはゞ一筋は越中へより來る。一筋は丹後へ、一筋は對馬へより來る。此のうちに丹後の魚味上品、越中これにつぎ、對馬は最下なり。先年松前のタンヌイといふ山焼出して、其の灰堆りて海の中三里ばかり陸になりたるといふ。その年は越中に鰤魚より來らず。其の後二三年ありて漸く又より來れり。按ずるに越中への魚道塞りて通ぜずして、後に道の移りたるにやとの給ふ。

予按ずるに先年鈴木三郎左衞門殿物語せられしは佐渡へ御代官にて往來せしこと多年にて其の地の事に習へり。漁者の語りしは、鮑、さゞえ、赤貝等の物も其の海底に生ずるにはあらず、渡り來る物なり、水の面一二尺斗り下に打ちならびて流れ渡るなりといふと申さる。介蟲にも道筋有りて渡るなり。

とあるは、第一段の經驗的個別的事象としての道と見るべく、「事物に到る一定の理」の項で引用した、莊子、荀子の句、乃至莊子、養生主に於て、庖丁が文惠君の爲に牛を解き、且その心術として、「臣が好む所のものは道なり、技よりも進めり」と對へたる場合の道は第二段の合法則的事象の意味としての道と見得るであらう。

而してかゝる意味の道は、單に技術のみでなく、凡ての行動、凡ての心術、更に遡つては人格陶冶に於ても存することである。凡そ歷史的存在にして、歷史を前提とするものに於ては、かゝる意味の道は常に存する。河豚に毒あることを知るのは魚料理道の「道しるべ」である。教育作用の典型的なるものは、先代者によつて既に到達されたものを、先代者の代表者としての教育者を介して、後代者の代表者としての被教育者によつて追體驗、追創造されることであるがこの場合の追體驗、追創造作用の中には、誤りなく迷ひもなく、直通して目的地へ到り得ることを豫想してゐる。曖昧模糊たる道を辿るのではない。即ち第二段の道の意味を有してゐる。無方の方も一種の道であり、試行錯誤法も既に先人によつて保證された一種の確實なる方法なのである。追體驗、追創造作用の中には、先人のなした失敗、過誤を再びなさない公道のあることを豫想してゐる。松下村塾が維新の元動に及ぼした影響の大であつたことは、當時の塾生が、塾頭の示した道を正しく歩んだことによるのである。先に述べた印可・證明は後繼者が師匠によつて示された道を、正しく歩み、將來も歩み得ることの保證に外ならない。總して此等は第二段の道の意味、即ち、偶然的、特殊的方法と區別すべき、一般的、合法則的方法と云ひ得るであらう。

道に關し、第一段と第二段の意味を說き終つた自分は、次に第三段の規範の意味についての道を說かなければならなくなつた。

上に縷說したやうに、道は一般に、a、先覺者によりて屢〻踏まれたる跡方であり、b、目的地へ到達するには最も確實なる方法であることが檢證濟みのものであるとするならば、c、かゝる道は後人の進むべき道、即ち規範的方向ではなからうか。

この點に關し、格別の感興を以て想起することは、ウイルヘルム・シュテルンが現實價値に關して說く所と、引用した次の如き例である。

直立步行は人間の特色として、同時にそれは各人に置かれた要求であり、各人に於て自ら實行さるべきものである。しかしながら若し人、その姿勢に於てかゝる人間としての構成原理に適はないやうな間隙が生じた場合には直ちに「姿勢を正して」と云ふ規範が措定される。若し痀瘻病其他の病氣の爲にこの要求が充たされない場合には、この正しからざる姿勢は「有るべからざるもの」として把握される。(W. Stern: 「Wert-philosophie. S. 428)

右例示の人間が步行の際に直立であるべきこととの要求に類似の要求は家庭、社會、國民等の諸生活に於て、常に保存されたもので、將來の人々に取りても必要な事象には常に存する。

シュテルンによれば現實規範の領域は經驗と結合することと最も近き領域であるその故は、この領域に於ては規範が措定する目的は既に事實上經驗的事象の中に他の方法で存在するのであるからである。且、かゝる習慣や規則等の事實が既に現實に存在し、且永久に保存さるべきであるが故に前述の目的が置かれるのである。しかしながら「保存される當爲」(Perseveriert-Werden-Sollen) は單なる經驗を超越する。何故ならば、例令事實の繼續、繰返し、擴張と雖も要求としては決して事實其物からは引出されないからであると、(同上、四二八—四二九頁)

右のシュテルンの現實規範に關する說は同時に今自分の說く道に當嵌まるのでなからうか。抑〻教育に於て說かれる道は、存在と峻別された意味に於て、星の如く天上に輝く價値の如きものではない。ソクラテス、ペスタロッチーによりて、孔子、吉田松陰によつて說かれた道は嘗て現實に存したものであり、現在も存し得るものである。更に例を宗教に取るならば宗教に於ての神が單に概念的に實存の世界に對立したものでなくして、寧ろ一定の體驗內容をなして居り、信仰者の意識內に於ては實在的な或者として存在すると同樣に、教育の場合に於ても、道は單に、概念的に實存の世界に對立したものでなく、教育者にとりては寧ろ一定の體驗內容をなしてゐるのである。道は教育者、被教育者の意識內に於ては實在的な或者として存在するのである。道の人間に對する關係は、純粋論理的なる關係とか、單に思惟されたる關係とか云ふものではない。しかも單なる事實でなくして、經驗を超越した當爲的要求であること、前述のシュテルンの說によりても明かである。かくして道は第三段の規範の意味を得ることゝなつた。

C　道の獨立生、客觀性

有形の道は目的地に到る手段であり、牛を解くの道が牛の肉を得る爲の手段である點で、道は獨立性のないものと見られる。しかし東洋語の道と云ふ言葉が、先に述べたやうに、道を通じて得たる到着點迄も意味してゐたことは少くともかゝる言語の使用者にとりては、道が單なる手段でなかつたことは想像するに難くないことである。蓋し、技藝の道を歩み續けたならばその人は遂には技藝其物となる。歩み得た一歩〱が積みて道其物となる。否、寧ろ一歩〱は出發と同時に到着を、未完成と同時に完結を意味するとも云ひ得るからである。

道が一面に從屬性を帶びながら、他面に獨立性を有することは言語と類似性を有する。言語・文字が意志表示の手段である點で表示者に取つては單なる手段であらうが、又言語はその始源に於ては單なる恣意の產物であり、殆ど無意識の中に行はれたる斷えざる變化も、單に恣意的作用の連續にすぎなかつた點で、言語の存在は使用者に從屬してゐたと云ひ得る。けれども一度、歷史的、社會的所產となつたとき、言語・文字の使用は使用者によつて恣意に創造、變改さるべきでなく、一定の文法、慣用法に從ふべき點で、使用者より獨立した存在と云ひ得る。フムボルト流に云へば言語は精神の活動の產物ではなくして、却て精神の非思惟的な發露である。國語は國民の生產物でなくして、國民の精神的な運命によつて彼等に與へられた天惠物である。（Wilhelm von Humboldts Gesammelte Schriften, Band VII. 1.S. 17）言語・文字がかく獨立した有機的な機構をそれ自身に有すればこそ、ロセッタ・ストーンが數千年の後にあつても、なほよく埃及文化を知るの祕鍵たり得たのである。

道も同樣に、「有形の道」は無論のこと、「各人の共に由る所の道」も亦その始源に於ては單なる恣意の產物であり、出來上つた後に於ても、履行者にとりては單なる手段とも見られるが、しかし、歷史的な、社會的な背景を持つ道は履行者の全くの恣意に委ねらるべきでなく、却て履行者は道其物に拘束されてゐる。かゝる意味に於て道は個々の履行者より獨立したる存在と云ひ得るであらう。

啻に前述の意味に於て、云はゞ消極的意味に於て、獨立したる存在であるのみならず、更に積極的意味に於て獨立したる存在と云ひ得ないであらうか。その理由は、道は後人をして前進せしめる、換言すれば歴史の世界へ進ましめる、教育的に云へば人をして人たらしめる唯一の方法であるからである。

教育作用の獨立した存在の意味について更に進んで云へば、教育作用は、各個々人の歷史的生命に對して、その生命實現を助けるが故にと云ふよりは、寧ろ、一時代の、否一般文化の高さ、價値は、教育作用の特有の施設、機能、内容に依存し、教育作用は人間の歷史的存在の基礎をなすが故にと云ひ得るであらう。

勿論、教育作用の施設、機能、内容は一面に文化環境に依存するが、他面に前述の如くに文化の歴史的存在の基礎をなす。この故に、教育作用と文化一般とは促進的相關々係にあると云ひ得るであらう。

凡そ從屬的のものは手段視され、方便視され、從つて輕視される。これに反し、獨立せるものは、尊重され、重視される。往古學問、諸技術の道が、家傳として、又祕傳として容易に他に公開されなかつたのは、一面には道を尊ぶの餘り現はれたることにて、單に利己心に基くものとは見られないであらう。汽車は鐵路、自動車は自動車道、飛行機は航空路と、各〻特有の道の構造を持つことは、やがて科學は科學特有の道、藝術は藝術特有の道有ることを暗示してゐるのではなからうか。ナトルプ並に精神科學的心理學派の教育學者がこの立場を取つたことは周知の通りである。

これを要するに、言語がそれ自身に獨立した有機的構造を持つと同樣に、「有形の道」も「各人の由る所の道」も共にそれ自身の有機的機構を持つ獨立した存在と見られないであらうか。

次に「道」の客觀性について說かう。

「有形の道」にしても又「各人の由る所の道」にしても、前項に述べたやうに、それ自身に獨立した機構を有する。けれどもその機構たるや絕對、普遍のものではなくして若干の偏異性を有する。言語が土地の東西によつて異なり、同一國語内に於ても歷史的に變遷があり、地方的に方言があり、各人の表言には癖がある。同樣に「道」にも土地の東西によりて差があり、歷史的に變遷があり、地方的に又個人的に多少の變化がある。この意味に於て「道」の客觀性は少ないと云ひ得る。

諺語に曰く「細工は流々仕上げを御覽」と、古歌に曰く「分け登る麓の道は多けれど……」と。吾人は何が道であり、何が道でないかを思辨的に證明することは不可能である。何が道であるかを證明する爲には、吾人は問題とせる具體的なる道を比較、對照する爲の一般的なモデルを、確定せる公式を、一達性の純粹直觀を有しなければならない。所が「道」の特色たる一達性なるものが如何なるものであるかは單に經驗的に示されるのみ、數學の定理のやうに純概念的には論證することの出來ないものである。

今、「道」の客觀性について述べて來たことは同時に教育作用についても云ひ得る。

嘗て、教育學の客觀性について疑問を持つた最初の人はシュライエルマッヘルであり、その主張の要點は、教育は思辨的に行はれるものでなく、必ず事實問題と關聯しなければならない。事實問題は一般性を持ち得ないから、一般妥當的な教育學は立てられないと云ふにあつた。氏の影響を受けること多大であつたディルタイの說も根本に於ては同一の見方であつた。

トールマンが云つたやうに、凡ての時に於ける又凡ての生徒に對する教育の前提並に限界は同一ではない。その個別的なることは教育目的の個別的なるよりも一層大である。各兒童の精神は教育が始まる以前に既に個別的に構成されてある上に、内面から迸り出る人間精神の自發性は環境から流れ込む多様なる影響と結合して居り、而もその環境たるや人々によりて異なり、各個性に應じて特有な資料を提供してゐる。この個別的な生活環境の特有性は、それを含む一層大なる生活圈に從屬してゐるので、教育作用の事實的前提は益〻多様であると云はなければならない。從つて人生の具體的目的に於て、又その實踐内容に於て、一般妥當的な命題を持ち得ないことから、同時に教育の方法についても、具體的には一般妥當的な命題を持ち得ないと云はなければならないのであらう。

この問題に關し、再び言語を引合に取らう。吾人は言語をば、一面にはその内部法則に從屬し、他面には最内部に到る迄、他に傳へるといふこと。理解されるといふことの外部目的によつて構成されたる意味形象として理解することを以て滿足しなければならないと同樣に、「道」も亦一面にはその内部法則に從屬するが他面には、その最内部に到る迄、履行者をして目的地へ一達せしめるといふ外部目的によつて構成されたる事象として理解することを以て滿足しなければならないのではなからうか。

而して「道」の概念と教育作用とが、**に、**に於て述べたやうな關係を有すると見るとき、且、假令個々の道は變易的であらうとも「道」一般は常に文化人にとりて規範として存すると見るとき、「道」の概念こそは教育者に取りては、眞理性が科學者にとりて、善の理念が道徳の實踐家に取りて有すると同様の意味に於て客觀性を有すと見るべきでなからうか。

人若し教育作用の法則に於て、數學のやうな風に、完全に出來上つた客觀的な法則のないことを以て、その客觀性の根據を疑ふものがあるならば、それに對しては次のやうに答へうるであらう。

科學の領域や、宗教の領域に於けると同様に教育の領域に於ても完全に出來上つた。客觀的な法則なるものはない。何故ならば凡ての法則は、時空的な、歴史的な條件に依存するものであるからである。他面に個々の道は必ずしも完全なるものではない。常に工夫を要する。先王の道を唱導した荻生徂徠も道は「時に隨つて變易するものあり」（荻生徂徠著、辨名參照）と述べてゐる。蓋し一層合理的なる道を、法則を絶えず發見することこそ、吾人教育學徒の無限の課題ではあるまいか、今傍證の爲に他の世界を覗いて見よう。

倫理に於て、市井で市民が人を斬ることは惡であるが、戰爭に於て人を斬るは善である。店頭で蜜柑を取ることは盜賊の行爲であるが、蜜柑畑で取り且、食することは或地方に於ては許されてゐる。客觀的に變らないものは善の理念のみ。

自然科學に於て「凡ての金屬は水より重し」といふ命題は、水より輕きカリウムの發見によつて破られた。ニュートンの法則はアインシュタインによつて修正された。即ち自然科學上の命題は、歴史性のものであり、時代の進行によつて修正、改廢を受ける。所謂永遠に變らぬ眞理なるものはない。變らぬものは科學者に取つての規範としての眞理性のみ。

次には最も客觀性の多い數學について見よう。日常の算術では　2＋3＝5, 2×3＝6　であるが特異數系統によれば、　2⊕3＝6,　2⊗3＝11　である。二點間を結ぶ最短線は普通には一本であるが、球面に於て兩極を結ぶ最短線は無限にある。滲透性を異にした世界では曲線が直線よりも却て近い場合が可能である。

卽ち最も客觀性の多き數學に於てすらも、立場を異にし、內容を異にするとき、その命題も變る。

抑〻言葉の嚴密なる意味に於ての理論的證明とは確固たる信念の一可能性たるにすぎない。敎育者として敎育の領域に住みなれてゐる人は、假令「道」と云ふ言葉は使用しなくとも、上に述べ來つた意味の敎育の「道」の實在性と眞實性については、科學者が眞理性について信ずると同樣に確信してゐるのである。而して人若し「道」の規範なるものは存するが故に、「道」の指導、卽ち敎育は決して不確實なる方法ではないといふことを許したとしたならば、吾人は最早この道價値が個々から獨立した、無條件的なる價値であることを疑ふことは出來ないであらう。道を實踐することが一達の形式と結付いてゐるといふこと、それは更に、凡ての事物性、個々の特殊性から離れた純粹形式と結付いてゐるといふ確信は純粹思惟に對する要請である。

斯くいふとも敎育作用が數學や自然科學と同程度の客觀性を有するといふのではない。科學に於ての判斷作用が、その素材並に思惟必然的な根本命題から引出されると同樣な風に、敎育作用はその根柢に存する「道」に對する敬の念から客觀的に常に必ずしも引出されるものではない。藝術品が常に藝術家の特殊性なり、個性の影響を受けてゐて、唯一の正しいものとして萬人から强請的に承認を求め得るやうな客觀的な藝術品なるものが存在しないと同樣に、教育作用は常に教育家の特殊性なり、個性の影響を受けてゐて、唯一の正しいものとして、萬人から强請的に承認を求め得るやうな客觀的な教育作用なるものは存在しない。客觀性は教育作用の「内」にのみ存する。而してそれは「道」に對する敬愛の念である。

D　教育規範「道」と爾餘の規範との關係

初めに教育規範「道」と爾餘の規範との差異點について述べよう。

シュプランガーが六種の生活型を說いた場合に、科學の規範法則は理由の原理であり、經濟の規範法則は最小力の原理である云々と述べた用語例に倣つて、教育の規範「道」について述べるならば、これは一達の原理と呼び得るであらう。その論證については既に、に、に於て述べた。再言を要しないであらう。この一達性こそは教育作用の規範をば他の文化諸作用の規範より峻別せしめる、唯一の論據である。

「道」といふ文字は、「道徳」と熟字されるので我々東洋人に取りては、道なる語は道徳の規範として取られやすき危惧が伴ふ。故にこゝで、教育の規範としての「道」と道徳の規範としての善の關係について説く必要がある。

教育規範としての「道」が換言すれば各人の由る所の、又由るべき所の道が、單に人倫に關する方面にあるばかりでなく、藝術、科學、經濟、宗教等凡そ文化事象の各般に亙りて存する點に於て狹義の道徳の規範「善」と區別されるばかりでなく、特に道徳特有の領域に於てすらも、教育と道徳との區別は論理的になしうる。即ち道徳的行爲の判斷の基準は善惡である。教育作用の判斷の基準は道、不道である。換言すれば達、不達である。先に縷説した意味に於ての達、不達が善惡とは平面を全く異にするものであることについては贅説を要しないであらう。

次に教育規範「道」と爾餘の規範との關係を述べよう。

道なる規範意識と他の規範意識との判別點は、眞とか善とかゞ、それ〳〵獨自の妥當領域を有し、他に待つ所なきに反し、道の妥當領域は常に他の價値の妥當領域を豫想する。さりながら他面に他の價値は道を待ちて初めて歷史世界に於て、具體的に實現し得るのである。何故ならば文化の支持者であり、受容者である人間各自は生物的存在として有限的である。先代者と後代者との間に、規範意識が規範意識として、教育的に云へば創造性が創造性として相傳される ことによつて（單に文化財が傳承されることではない）所謂心から心へ傳へられることによつて初めて價値の命脈を持續し、發展を可能ならしめるからである。奈良朝時代にあつた玻璃の製法が中絶したのは斯かる意味に於ての道が中絶したがためである。北條氏の末葉から足利尊氏に至る間に皇室に於て古今未曾有の不祥事のあらせられたのは臣下の道の中絶したるが爲である。この意味に於て道なる規範意識は有限性の人間によつて支持された他の規範意識をして十全ならしめる必須條件と云ひ得るであらう。

眞、善、美の價値が宗教價値の至と超感的に關係を持つことによつて完きを得ると云ひ得るとしたならば、眞善美の價値は教育價値道と時間的に又空間的に關係を持つことによつて完きを得ると云ひ得ないであらうか。

眞なる規範意識や、美なる規範意識が客觀化され、具體化されるには、善なる規範意識を要すと考へられる。而して善なる規範意識は眞及び美なる規範意識の樞軸と考へられるが、この善なる規範意識が、時間上にも空間上にも妥當し、歷史の世界に於て實現せられ得るためには道なる規範意識を必要とする。道なる規範意識を待たずしては、善なる規範意識の實現は當該意識の規定者のみに限定せられ、他の個人又は後代者への傳播は望まれない。道なる規範意識を待たずしては、善なる規範意識も、美眞等の規範意識も、その普遍妥當性は、その人一代に限られたる空文に止まる。斯かる意味に於て、道なる規範意識の妥當領域と、爾餘の規範意識の妥當領域とは先にも述べた如く促進的相關々係にある。從つて一々の「今」に於て定立される兩種の規範も亦促進的相關々係にあると云ひ得ないであらうか。

E 教育學の對象

若し前項に於て說けるが如くに、教育規範の妥當領域と爾餘の規範とのそれが促進的相關々係にあるとしたならば一體、教育學特有の對象領域の特色は何處にあるかと問はれるならば、數學が純粹時空直觀の秩序に關する眞理判斷の體系であり、自然科學が、一般法則に從つて思惟せられたる事物の世界についての判斷の體系であるとするとき、教育學とは何についての判斷の體系であるかと問はれるならば、自分は上來縷說した道に關する卑見からして容易に次のやうに答へ得る。教育學とは人間のなす一般文化活動の道(秩序)に關する眞理判斷の體系であると。

結語へ

自分は豫てより、一般妥當的な目的や方法の不可能性は決して教育學を不可能ならしめるものでなく、教育學はこのことゝは別に他に達し得べき認識課題を有してゐる。教育學は教育作用についての理論を講究すべきである。教育作用其物が教育學の中心問題である。教育作用其物の中に他の文化作用と異つた特有の對象を有し、特有の研究方法を有してゐることが立證されるならば、學としての獨立性は得られ、可能性についての疑は除かれ得るであらうとの考を有したのであつた。今、人若し自分に向つて、何が對象をして教育的な、特有の形態を取らしむるのであるかと問はれるならば、その第一に擧ぐべきは「道」であると答へたい。人が未知の境を進む場合に常に守られるものは「道價値」であり、履行すべきものは道である。道は道しるべ、乃至は道案内者を必要とする。教育者とは被教育者をしてこの「道を進ましめる爲の道案内にすぎない。外國語の教育學の語原が古代希臘の子供が教師の許へ通ふ往復の際の御供であつたことは稍〻正鵠を得てゐると云ひ得るであらう。（自分は今殊更に「稍〻」と云つた。何故ならば教育者は單なる御供でないこと、教育者を園丁に比することが當らないと同様であるからである。）

凡そ歴史的存在にして、歴史を前提とするものに於ては、道は常に存する。道は歴史的發展の根柢とも考へられる。從つて文化の繼承、發展を使命とする教育作用に取りては、道は啻に經驗的に存在するのみならず、更に又規範として存在する。道を否定することは指導といふ概念を否定することであり、從つて教育作用を否定することゝなり、教育論の自殺となるのでなからうか。科學者に取つて眞理が、藝術家に取つて美が存在すると同様な意味に於て、教育者に取りては「道」が存在すると云ふべきでなからうか。

教育特有の價値に冠する名辭として人道なる言葉が獨逸に於ても、日本に於ても用ひられて居り、自分も嘗て用ひたこともあるのであるが、しかし其後、前述の如き研究の結果、「道」といふ語には前述の如く、人道といふ語よりは一層廣き意味を、且、教育作用に取つては最も適當と思はれる意味を有するに反し「人道」といふ語は道德には極めて都合よきも、元來は神の道を指する語であり、從つて宗教を除外し、又科學、藝術等の他の文化領域に對して、換言すれば眞、美等の價値と相容れない感がする外に、「道」に含まれたるやうな「目的地へ達するには最も確實なる方法」の意味が含まれないやうに思はれるので自分は潛越ながら、「人道」なる語を用ひないで、たゞ「道」なる語を用ひることゝした。

ヨハンゼンのやうに、文化の最高指導原理を「人道」なる語で表はし、教育の指導原理を「陶冶」なる語で表はすならば問題は又別であるが、しかし、この場合陶冶なる語を用ひることとは問題であるやうに思はれる。

これを要するに、文化は人間によつて支持され、しかもその人間は有限性のものであり、且各人は零から文化を始めるものであるとするとき、この文化を傳承、發展せしめる作用の最高指導原理を「道」と呼び得ないであらうか。若し徂徠をして現代にあらしめたならば道をば統名とはなさないで、自分と同様な意味に活用しなかつたであらうか。(徂徠、辨道參照)中庸の著者の云つた有名な「道は須臾も離るべからず。離るべきは道に非ざるなり」の句も同様に規範的意味に解するとき、更に新意義を得るやうに思はれる。

主觀から云へば新生の人間が、文化能力者たるの一達の最高指導原理を、客觀から云へば客觀の文化が繼承、發展される一達の最高指導原理を「道」と呼び得ないであらうか。

若しウイルヘルム・シュテルンに倣つて規範を現實規範と理想規範とに別ち、前者は既に構成されたもの、保存を目的とするもの、即ち有るべき規範 (Sein-Sollen) であり、後者は新形式への展開を目的とするもの、即ちなるべき規範 (Werden-Sollen) であり、前者は保守的であり、後者は進歩的であるとするならば (Wertphilosophie S. 428–429) 教育規範「道」は、既に先人によりて構成され、現在は何人も現實に通過すべきものなる點で、又先人の歩みし跡を歩むと云ふ保守的な點で現實規範の部に屬すといふべきであらう。

原始家族

——ブヌン族の家族生活——

岡田　謙

目次

(一) 序　言

原始家族の研究に於て、家族の集團的特質換言すれば集團としての家族の意義が重要視されその方面の調査研究が現はれる樣になつたのは極めて最近の事である。(註)從來の研究にあつて主力の注がれた婚姻の問題或は父系・母系の問題等はそれによつて家族成立の條件や社會内の家族の位置づけ等は明かにされても、家族の內部構造從つてまた家族が家族としての集團的活動を營むために生ずる社會的影響等は明かにはならない。然るに家族集團の構成・機能を知らなければ、社會生活の重要な部面の、理會が得られないばかりでなく、外部的な社會制度が如何なる意味を以て人々の生活を規律づけて居るかに就いても誤つた解釋を下すことになる。例へば異常に見える慣習も異常に見えるのは表面だけで現實の生活に於ては何等異常な點を發見し得ない場合が往々にして存在して居るのである。殊に氏族制度、婚姻制度の如きは現實の家族生活から抽象して考察するときには屢〻異常な結論に到達し勝ちであることは從來の研究の示して居る通りである。この意味に於て、原始家族の研究に於て先づ大切な事は現實の家族生活を注意深く觀察し其家族結合の態樣、他の集團との相互關係等を生ける姿に於て捉へることでなければならない。家族は如何なる構成員より成り如何なる意味の共同生活を營んで居るか、即ち如何なる意味での共同體であるか、此共同體を維持するためには如何なる義務が家族員相互に要求されるか、更に氏族若くは親族集團は家族に如何なる統制を加へて居るか、逆に氏族制度が家族結合によつて如何なる制限を加へられて居るか、家族構成の變化は家族機能に如何なる變化を及ぼすか、其逆はまた如何樣であるか、等が忠實に觀察されなければならない。かやうな觀察が幾多の種族に就いて爲されるとき、そこに比較が可能となり、原始家族の特質が一層明瞭になるであらう。本稿は此立場からブヌン族の家族生活を取扱つたものであつて、先づ家族生活の背景とも考へられる氏族集團、地域集團、祭祀集團等の組織に就いて概觀し、次いで家族構成を分析し、最後に家族機能を其主要なものとしての經濟、宗教等に關して論述する。勿論經濟、宗教と言つても其自身を問題とするのでは無く家族の共同行爲としてのそれであつて重點を家族結合に置きつゝ論じ度いと思ふ。

註

原始家族に關して集團としての家族を問題にしたのは、假令原始家族を以て氏族と分ち難い Politico-domestique の集團としたとしても、E. Durkheim である。(G. Davy: Sociologues d'hier et d'aujourd'hui, pp 103—157)

併し原始民族の現地調査者にあつて未だ不十分ではあるがともかく集團としての家族を問題にしたのは所謂機能學派(Functionalists)と呼ばれる B. Malinowski, A. R. Radcliffe-Brown, R. Thurnwald 等及びその弟子達であつて極く最近のことである。(ミルケは機能學派の誕生をマリノフスキの「西太平洋のアルゴ舟人」とラドクリフ・ブラウンの「アンダマン島人」の現はれた一九二二年に置かうとして居る〔W. Milke, Der Funktionalismus in der Völkerkunde—Schmoller Jahrbuch, Jahrg. 61, Heft 5, 1937〕)

(二) 社會組織

(1) 氏族組織

ブヌン族はそれに屬する卓社蕃 Take-toʔdo、卡社蕃 Take-bak-ha、丹蕃 Take-vatan、巒蕃 Take-banuað、郡蕃 Işi-bukun (タコプラン蕃に就いては筆者は未調査)の何れも明瞭な氏族組織を有して居る。而して氏族集團は祖先(父系)を共通にする者の集合であるところに其基礎を有し、これに血緣關係は無くとも同じ家に育つた者とか或は何か特別の事情の爲に加はる樣になつた者をも含めて、血緣の濃淡、結合の強弱、共同事項の多少に應じて小・中・大の氏族關係を保つて居るのである。今、郡蕃の氏族組織によつて此事實を示すならば、第一表(イバホ社の調査に依る)に見るが如く各姓を有する小氏族は數箇集つて中氏族を形成し、同樣に中氏族が集つて大氏族を形成する。併し(Ⅲ)大氏族の如く中氏族が同時に大氏族としての機能を營んで居るものもある。(Ⅰ)大氏族の中で(A)中氏族と(E)中氏族、(C)中氏族と(D)中氏族とは共通の祖先を有するが全部の中氏族同志の血緣關係は現在記憶されて居ない。中氏族が大體に於て血緣關係に基いて結合して居ることはI-B Işi-tanda 中氏族の事例によつて知り得る。Işi-tanda は Xaḷilo といふ名前の者の子孫の集りである。彼の妻は盜癖があつたので村を追はれ小屋(昔はこれを Ta-nda と言つた)を作つて別居して居たので其一家を Işi-tanda と呼ぶ樣になつた。その子孫が增加するに從つて次の樣に小氏族が增加して行つた。(次頁)

中氏族には血緣に據るものゝ外に同じ家で育つたために同一中氏族の成員となつたものが含まれて居ることは、第一表Ⅱ巒蕃の氏族表(カトグラン社調査)の(Ⅰ)(C)中氏族たる Take-hunan 中の Takeşi-atolan はもと Işi-qaqabut 姓の Atol と云ふ者が Take-hunan に養はれて以來此中氏族に加はることになつたのであるといふ事

Xaḷiḷo
- Takeṣi-taḷan ← Ḷasitaḷ
- Tsivan → Takeṣi-tsivanan
  - Tsiaŋ → Takeṣi-tsiaŋan
  - Xoṣoŋ → Takeṣi-xoṣoŋan
  - Takeṣi-mexan ← Miax
    - Taonkinoan ← Kaino
  - Aḷan → Takeṣi-aḷantandan
  - Navoʔa → Takeṣi-navoʔan

(Takeṣi-xaḷiḷoan 及び Takeṣi-xaiðoan は此系譜中の何れかから出たのであるが記憶されて居なかつた)

例によつて知り得る。其他の事情で大氏族を同じうする樣になつた例は第一表V卓社蕃(ラク社調査)の氏族表に見出される。卽ち(II)大氏族 Qalats の(G)中氏族 Pakiṣan はもと(I)大氏族 Mitijaŋan に屬して居たが Qalats 大氏族に出遭つた時に Qalats の hulan (種粟)を食はされて以來 Qalats に屬する樣になつたのである。

かやうにブヌン族の氏族は大體に於て血緣を基礎とするものであるから血緣

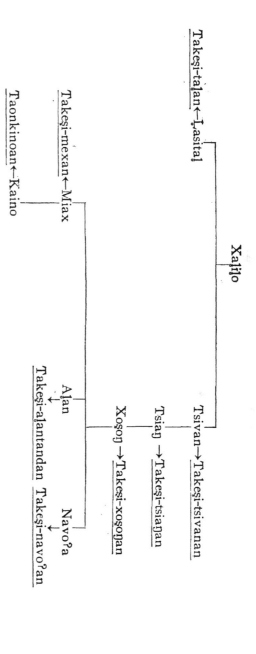

の深い小氏族の結合が最も強く中氏族・大氏族となるに從つて次第に結合の弱くなることは當然の事である。これは何も血の神祕的性質に據るものでなく生活の共同性の大小に應ずるものだからである。生活の共同體であるといふ思想はブヌン族自身にも認められて居るのであつて、中氏族のことを Taṣi-to-ḷumaq (巒蕃・卡社蕃・卓社蕃・丹蕃) Taṣi-to-ḷumax (郡蕃)卽ち「家を一つにする者」と言ひ「生活を共同にする者」の意を持つて居る。小氏族及び家族には一層の現實性を持つてあてはまるわけで丹蕃テルサン社に於ても郡蕃トンポ社に於ても小氏族、家族を Taṣi-to-ḷumaq (tate-ne-ḷumaq) 若くは Taṣi-to-ḷumax と呼んで居た。卓社蕃ラク社に於ては大氏族のことをも「嘗て家を一つにした者」maitaṣi-ḷumaq とも言ひ得ると述べて居た。大氏族は一般に Taṣi-to-sidoq (sidoq は種類を意味すると云ふ、タマロアン社)と呼ばれるが、時に中氏族を呼ぶにも此言葉が用ひられることがある(トンポ社)。この他、大氏族を呼ぶに「我等一緒に住む者」Toko-ðačammi と言ふ言葉も用ひられる(巒蕃カトグラン社・卓社蕃ラク社)。かういふ言葉は原始民族の常として一定の範圍を示す術語的な意味を持つて居るのでは無く其時の現實の氏族關係によつて左右されるものである。例へば巒蕃カトグラン社に於て見るが如く、第一表

Ⅱの(Ⅰ)(A)中氏族 Şoqoloman と(C)中氏族 Take-hunan は共通の祖先から出たもの卽ち Taşi-to-madadaiŋað (先祖を一にするものの意)であるが或事情から喧嘩をして以來今では Taşi-to-madadaiŋað と言はず hulan (種粟)をも共食しない。同樣に氏族關係を示す言葉として時々用ひられる Kautoşiðan 及び Kaviað も必ずしも一定の範圍の氏族を示すものとは限らない。郡蕃(トンポ社・イバホ社)で Kautoşiðan (意味は「婚姻出來ない間柄」といふので mavaļa 「婚姻出來る間柄」に對立する言葉だと云ふ―トンポ社)は大氏族關係にある者を廣く指し、Kaviað (友人、酒宴に招かれる間柄等の意)も大氏族の間柄を指し特に區別が見られなかつた。その時の事情によつて Kaviað と呼ばれなくなる場合のあることは前と同樣で、イバホ社では同じ大氏族中の Takeşi-tauļan と Işi-paļakan とは現在 Kaviað でないと言つて居る。巒蕃に於ても Kautoşiðan は大氏族を指したり(ランルン社)、自分の家の者と同じ者との意であるとて、中氏族にも小氏族にもまた夫婦に對しても此言葉が用ひられ(カトグラン社)、Kaviað も亦大氏族關係を示すと共に個人的友人をも示すことがあり(カトグラン社)、第一表Ⅱに於て一方には(Ⅰ)、他方には(Ⅱ)(Ⅲ)(Ⅳ)と二つの Kaviað に分れると言ひ乍ら(Ⅰ)大氏族の中で Şoqoloman と Manqoqo とは分れた年代が古いからKaviaðでないと言ふ(ランルン社)。要するに以上の言葉は非常に融通性に富んだ言葉であつて現實の事情に左右されることが多いから其種族なり蕃社に於ける現實の氏族關係と常に關聯せしめて解釋する必要がある。

大氏族は外婚の單位である。同じ大氏族に屬する男女は婚姻することが出來ない。大氏族の結合を表現するものは hulan (郡蕃では binsax) の共食である。これは同じ家にあつて生活を共同にする事實の表現であつて、hulan とは㈠種粟、㈡粟倉の下に落ちこぼれた粟を言ふ外、㈢女子が他に嫁して子供を生んだ場合、生後三ヶ月經つてその子供を實家へ連れて歸るがその時持つて行く粟をもhulanと言ふ、(この粟に母方の中氏族若くは大氏族の成員の持つて來た粟を混ぜて酒を作り或は飯にして食する)。大氏族の成員は多く祭の際に此 hulan を混ぜて作つた酒や飯を共食するのであつて他の大氏族の者が共食することは許されない。逆に今迄大氏族關係に立つて居なかつた者も hulan の共食によつて其大氏族に加へられるのである。この hulan の共食といふことから大氏族の間柄をMuskun maun hulan (hulan を一緒に食べる)と呼ぶことが出來る。大氏族は親族としての意識を持ち相互援助を行ふものであつて、大氏族にして同時に中氏族を兼ねる場合には一層共同性が强い(寫眞(1)は卓社蕃ラク社で收穫した粟の中からhulanを擇り分けて居るところ)。

中氏族は狩獵場の共同所有體となることが多い。郡蕃イバホ社・丹蕃テルサン社に於て知り得た狩獵地は中氏族別になつて居る(狩獵地名は略す)。而して獵の獲物例へば猪の如きは狩獵者が一定の標準に從つて分配した殘りは蕃社の中氏族に公平に分配する(テルサン社)。併し部族により、又狩獵地を獲得した歷史によつて、部族の共同所有になつて居たり(巒蕃は嘗てさうであつたと云ふ)、小氏族が所有主になつて居てこれと中氏族關係にあるものが自由に狩獵することが出來るといふ場合もある樣である。中氏族名は多く本家に當る小氏族の名前を以て呼ばれるが、第一表II巒蕃の(II)(D)の Tanapima の如く Va?dintsinan が最も古い家なのであるが前者が家數も多く優勢な爲に前者を以て中氏族名として居るのである。(II)表のイタリックは各中氏族で本元になる家を示すのである。

小氏族は個有の姓を持ち同じ家の出であると信じ氏族としては最も結合の强い集團であつて何事にもよらず助け合ふ。例へば他の土地に移住する場合近親者の居ない場合には先づ同姓者卽ち小氏族の家に落ち着くのである。また近親者を持たない老人は小氏族が引き取る。蕃社の戶口簿に同居人と出て居る者にかやうな性質のものが多い。同じ蕃社內の同一小氏族は常に行動を共にする。從て一蕃社に一姓が多數集る時には蕃社の行動はその小氏族によつて左右されることが多いし、新蕃社を建設するときにも小氏族若くは中氏族のみが集る傾向が著しい。

ブヌン族の氏族組織に關して興味ある事實は卓社蕃(第一表V)と卡社蕃(第一表III)に見るが如き種族が二箇の外婚集團に分割される所謂 dual organigation, Halbierungssystem がこの制度の起原に關する相對立する學說の何れに對しても有利な材料を呈供して居ることである。卽ち二部組織は相異る種族の融合によつて生じたものであるとなす說に對しては卓社蕃の事實が裏書きする樣に見える。ラク社に於ける口碑に據れば(I)大氏族卽ち Mitijaŋan はすべて巒蕃から分れて來た Toʔdo (彼の名に因んで卓社蕃は Take-toʔdo と言ふ) の子孫である。ところが(II)大氏族 Qalats は (E) Qalavaŋan (←Qalavaŋ タイヤル族) (F) Valivajan にしても他種族であつたが卡社溪と濁水溪との合流點で Mitijaŋan と出遭つて危く殺されるところを Tamaşi-laşan の Ippits なる者に救はれて一緒に住む樣になり Mitijaŋan に對して外婚的大氏族を形作り Mitijaŋan に屬する Pakişan を加へることゝなつた。 Qalats に會ふ前は婚姻は氏族に關係無く勝手に行はれて居た爲子が育たなかつたが外婚を行ふ樣になつて子孫が繁榮したといふのである。 Qalats とは貧乏の意で彼等が土地を殆ど持たなかつたからかく仇名をつけそれが大氏族名になつたのである。

ところが卡社蕃の方は兩大氏族共に共通の祖先から出て居る (馬淵氏に據る—臺灣高砂族系統所屬の研究一一六頁參照) から、二部組織を以て內在的原因に基くものであるとなすマリノフスキー及びラドクリフ・ブラ

大氏族	中氏族	小氏族
(I)	(A) Palabe (Takeşi-anuan)	Palabe
		Takeşi-vanuan
		Paşixago
		Takeşi-Malbanasan
		Takeşi-tabahanan
	(B) Işi-tanda	Takeşi-talan
		Takeşi-tsivanan
		Takeşi-xoşoŋan
		Takeşi-tsiaŋan (Takeşi-taiŋan)
		Takeşi-alantandan
		Takeşi-naʔvoan
		Takeşi-[illegible]liloan
		Takeşi-xaiðoan
		Takeşi-mexan
		Taonkinoan
	(C) Takeşi-taulaan	Takeşi-taulaan
		Takeşi-palidavan
		Takeşi-ŋianan (Takeşi-nianan)
		Takeşi-taluman
		Takeşi-malotsian
		Takeşi-moʔðan
		Şunkilaan
		Takeşi-kavalan
	(D) Işi-palakan	Işi-palakan
		Takeşi-linean
		Takeşi-kautan
		Paşuhavaðan
		Takeşi-pakian
		Takeşi-ikulan
		Takeşi-manaişan
	(E) Işi-nankoan	Takeşi-tauðian
		Takeşi-laulaban
		Takeşi-ulavan
		Takeşi-lamalan
		Takeşi-kaka'
(II)	(F) Işi-litoan	Takeşi-daiŋaðan
		Takeşi-daxoan
		Takeşi-taxajan
		Tenpilişan
		Takeşi-vilainan
		Alimusan
		Işi-maxaşan
		Takeşi-aluşan
		Takeşi-bainkinoan
		Takeşi-lavalian
		Takeşi-pəjanan
	(G) Take-ludun	Takeşi-linkian
		Takeşi-adulan
		Takeşi-vaxaðan
		Takeşi-taluman
		Take-sajan
		Take-vunoq
		Takeşi-bişazoan
		Take-antalaan
(III)	(H) Işi-babanal	Takeşi-alaivan
		Işi-liliax
		Takeşi-ibian
		Makilian
		Takeşi-kakoan
		Işi-vuluvoan
		Take-tonko

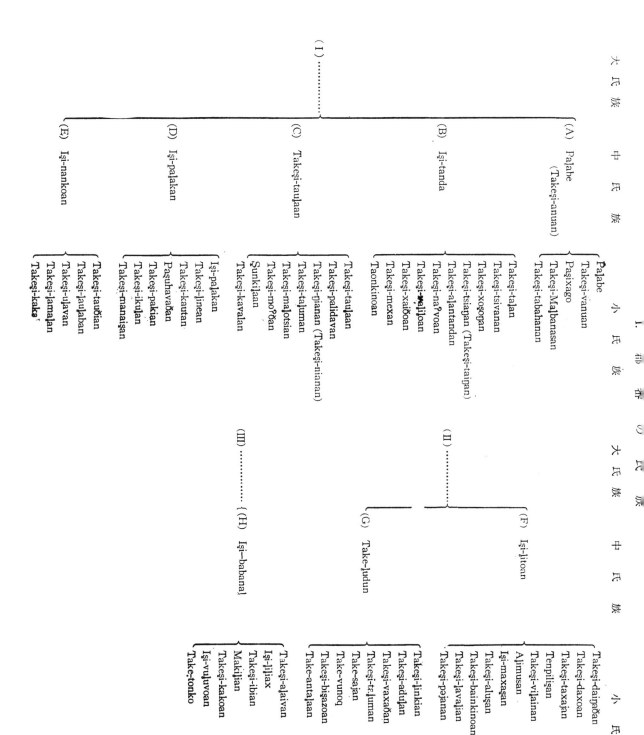

II. 巒番の氏族

大氏族	中氏族	小氏族
(I)	(A) Şoqoloman	*Taişo-qoloman* (Şoqoloman
		Manşunuş
		Aðimanan
		Maişoqoan (Takeşi-vaqoan)
		Takeşi-qaivaŋan
		Işi-iŋkaunan
		Takeşi-usinian
		Takeşi-nanqoan
	(B) Manqoqo	*Manqoqo*
		Maʔdikiliaŋ
		Lamiliŋan
	(C) Take-hunan	*Take-hunan*
		Taşi-qaimoşan
		Işi-taşipal
		Takeşi-atolan
		Taşi-anevan
		Şinkauan
		Naqaişolan
		Antalean
(II)	(D) Taŋapima	Tanapima
		Vaʔdintsinan
		Lumpimal
		Taşi-kavinan
		Takeşi-aonan
		Takeşi-qosalan
		Taşi-taipaşan
		Taşi-ulavan
		△Soheqan
		△Taqnasan
	(E) Tanşikian	Tanşikian
(III)	(F) Şuvalean	Naŋabulan
		Alimuşan
		Şuvalean
		[illegible]

大氏族	中氏族	小氏族
		Şunaban
		Maŋulavan
		Pitoqunan
		Takeşi-paşoqan
(IV)	(G) Işi-qaqabut	Işi-qaqabut
		Taşi-taqoşan
		Taşi-nunan

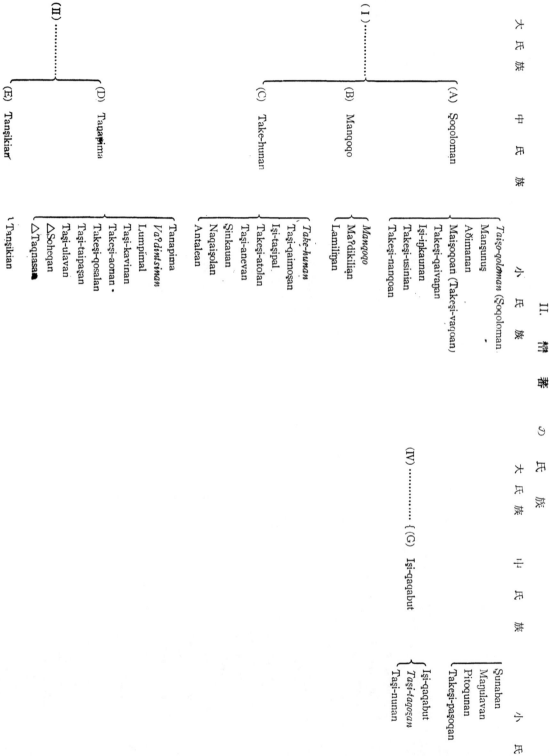

第　一　表

III. 卡社蕃の氏族

大氏族	中氏族	小氏族
(I)		Taina-votsol
		Telawan
		Taluman
		Matlajan
		Taşi-baqoðan
		Taşi-kavan
		Take-tonsoan
	Noanan	
(II)	Uşoŋan	
	Malaşilaşan	
	Mitijaŋan	
	Tamulan	
	Şoqunoan	
	Taşi-kulupan	
	△Take-muso	
	△Vaʔdintsinan	
	△Işi-qaqabut	
	△Taşi-nunan	

(△印は他蕃出身)

IV 丹蕃の氏族

大氏族	中氏族	小氏族
(I)	(A) Manqoqo	
	(B) Lameliŋan	
	(C) Maʔdikilian	
	(D)	Şoqoloman
		Işi-iŋkaunan
(II)	(E) Take-hunan	
(III)	(F) Tanapima	
	(G)	Qalmutan
		Soheqan
		Qativoŋan
		Taqunaşan
		Qusinavan
		Maluşuqavan
(IV)	(H)	Maŋulavan
		Şunaban
		Naŋabulan
	(I) △Işi-qaqabut	
	(J) △Tasi–nunan	

V. 卓社蕃の氏族

大氏族	中氏族	小氏族
(I) Mitijaŋan	(A) Vaʔdintsinan	Vaʔdintsinan-toða (Tasi-qotsolan)
		Tokaitsan
	(B) Taşi-valoan	Taşi-valoan-toða
	(B)' Tokolan	Tokolan
	(C) Tamaşi-laşan	Tamaşi-laşan-toða
		Take-voan
	(D) Taşi-tsokan	Taşi-tsokan-toða
		Taşi-valanan
(II) Qalats	(E) Qalavaŋan	Qalavaŋan-toða (Qalavaŋan-ʔdaŋqats
		Tokoan
		Hantalan
		Kantsauðan
		Şaloman
		Tobaan
	(F) Valivajan	Valivajan-toða
		Taşi-ðokðokan
		Mina-ibot (Minaşiuşoan)
	(G) Pakişan	Prkişan-toða
		Taşi-votsolan

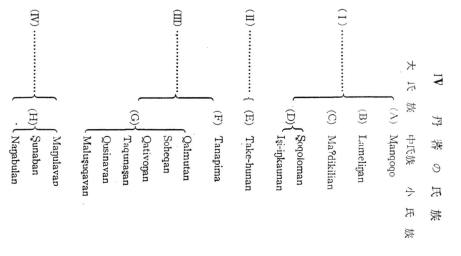

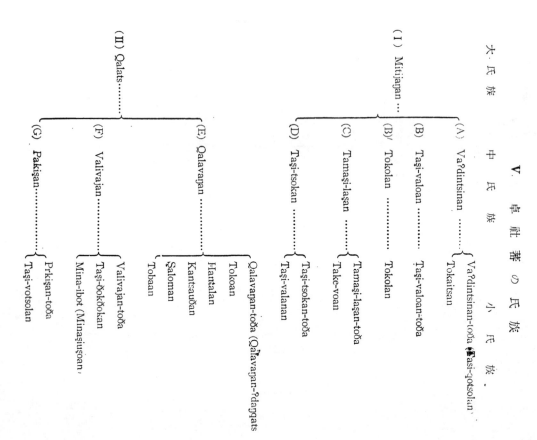

ウンの說にとつて有利である。

(2) 地域集團、祭祀集團

ブヌン族は他の高砂族と同樣に溪流に沿うた傾斜地或は臺地に蓄社を形作つて生活して居るが、一蕃社の平均戶數は如何程であるかと言へば昭和八年末に

第二表（註二）

種族名	一社平均戶數	一社平均人口	一戶平均人口
パナパナヤン(プユマ)	一一二・一二戶	六三九・五人	五・六九人
ルカイ	六一・〇五	二九四・五五	四・八二
パンツァハ(アミ)	五六・二八	四八二・二〇	八・五六
ヤミ	五六・	二四三・一四	四・三
パイワン	四一・一四	二一三・三六	五・〇九
タイヤル	三七・九三	一八四・二九	四・六三
南ツォウ	二三・五	一一四・五	四・八七
サイセット	一七・五	九八・六四	五・六三
北ツォウ	一六・〇五	一〇三・一一	六・四二
ブヌン	一三・六七	一一一・二二	八・一三

臺中州では約一四・八八戸(註二)となり、一蕃社の平均人口は一七一・二人となつて居る。臺東廳・花蓮港廳・高雄州にあるものを加ふれば全ブヌンの一蕃社平均は一三・六七戸、人口は一一一・二二人となる。(註一)これを參考のため他種族と比較すれば第二表の如くである。

次に蕃社を形作つて居る各戸相互の間柄であるが、これは前に述べた樣に新蕃社を建設する樣な場合同一小氏族若くは中氏族の家が集り易いのであつて古い蕃社でも少數の家から成つて居るところでは此事情を示して居る。大きい蕃社になれば種々の氏族に屬する家が集合して居るが、同一氏族の家は互に近くに集り易い傾向を持つて居る。第一圖の示す樣に古い大きい蕃社であるカトグラン社に於て同一小氏族に屬する家は互に接近して居住して居る。パラサゴン社の如きは一戸を除きSoqoloman中氏族によつて占められて居る。この地域集團が氏族組織の影響を強く被つて居るのはブヌン族の特色であつて、同じ氏族組織を持つ隣接北ツォウ族とも異つて居る點である。從て蕃社は蕃社としての組織が弱く、頭目も多くの場合其蕃社に於て勢力を持つて居る姓(小氏族若くは中氏族)の有力者なのである。カトグラン社に於ても最も優勢なTanapima姓の才幹

第 一 圖

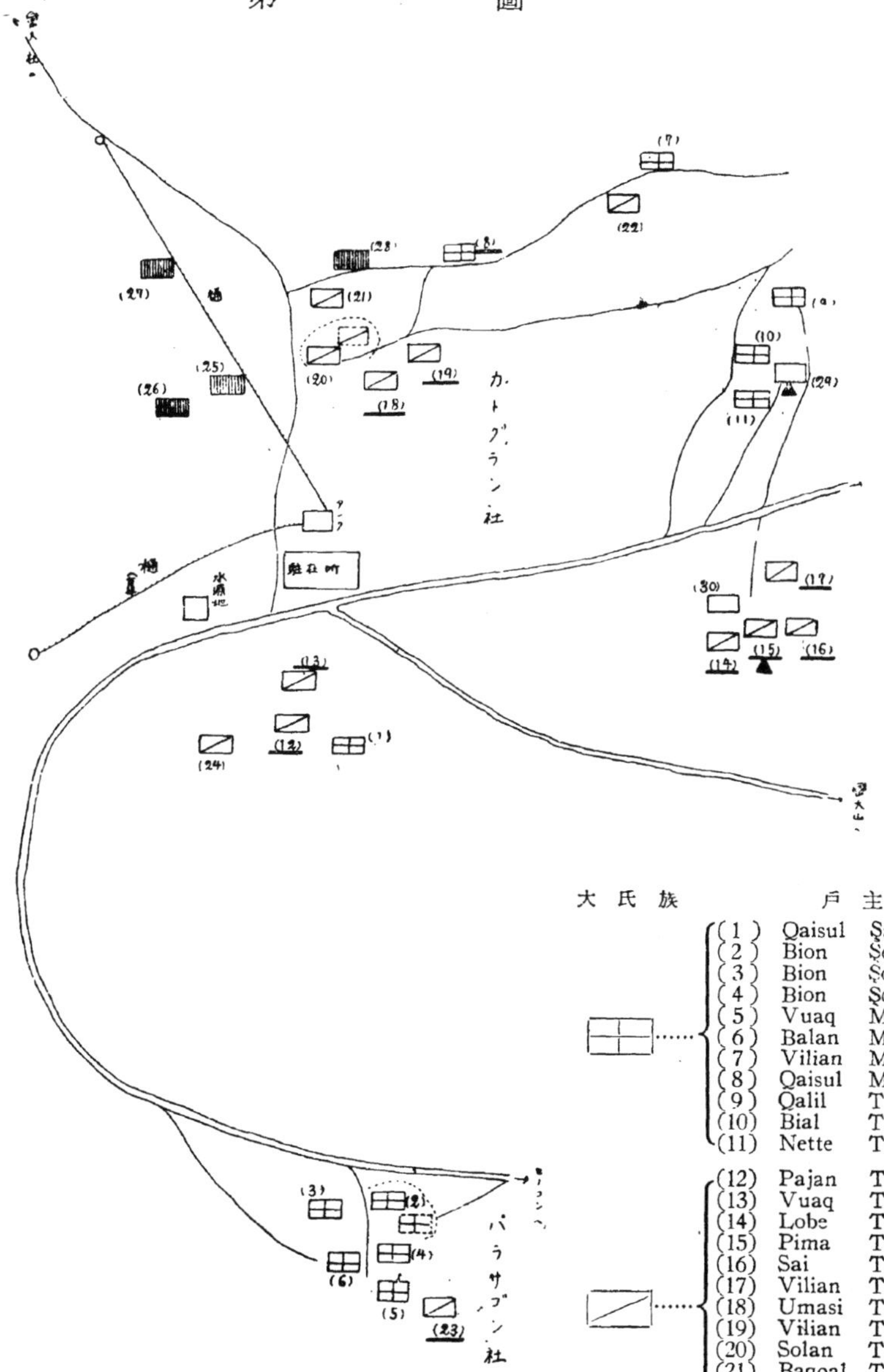

大氏族		戸主名	
⊞	(1)	Qaisul	Ṣcqoloman
	(2)	Bion	Ṣcqoloman
	(3)	Bion	Ṣoqoloman
	(4)	Bion	Ṣcqoloman
	(5)	Vuaq	Maṣiqoan
	(6)	Balan	Maṣiqoan
	(7)	Vilian	Manqoqo
	(8)	Qaisul	Manqoqo
	(9)	Qalil	Take-hunan
	(10)	Bial	Take-hunan
	(11)	Nette	Take-hunan
⧄	(12)	Pajan	Tanapima
	(13)	Vuaq	Tanapima
	(14)	Lobe	Tanapima
	(15)	Pima	Tanapima
	(16)	Sai	Tanapima
	(17)	Vilian	Tanapima
	(18)	Umasi	Tanapima
	(19)	Vilian	Tanapima
	(20)	Solan	Tanapima
	(21)	Baqoal	Tanapima
	(22)	Toppao	Tanapima
	(23)	Tejan	Tanapima
	(24)	Lunan	Tansikian
▥	(25)	Lusqav	Ṣuvalean
	(26)	Ibi	Ṣuvalean
	(27)	Vale	Ṣuvalean
	(28)	Nitte	Ṣuvalean
□	(29)	Ibi	Iṣi-qaqabut
	(30)	Ibi	Iṣi-qaqabut

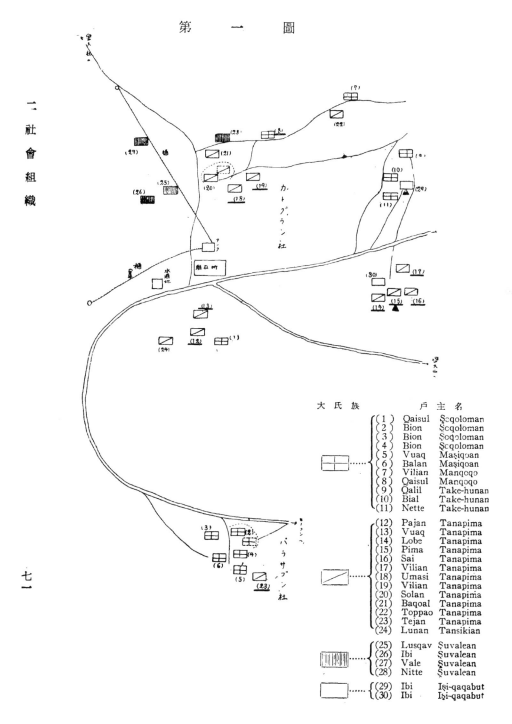

者 Pajan が自然代表の地位に立ち官より頭目として任命されて居る。併し、蕃社が氏族組織の影響を強く受けて居ると言つても、蕃社として集合生活をして居る以上、そこには種々の共同性が生じ農耕・建築等には互に手助けし、或は婚姻の場合には嫁方婿方の蕃社の者は全部婿方の招待を受けるといふ樣な事實もあり(タマロアン社)、殊に後に述べる祭祀集團の範圍が同時に蕃社である場合には祭祀をも共同にするから共同性は一層強くなる。更に、出産の場合四日目には出産祝をするがその際集るのはその一家と女の兩親及び社内の老人であり、社内に死者のあつた場合社の者は一日耕作を休んで喪に服する(ラフラン社)。この他、狩獵の獲物を中氏族に分配する場合にも社内の中氏族にのみ分配すればよい(テルサン社)。かように地域集團としての蕃社は氏族組織の強いブヌン族にあつても色々な點で社會生活を制約して居るのであつて、後に婚域に就いて述べる樣に地域の接近は種族的差異をも超えしめるものであるから地域集團の意義は決して僅少ではないのである。

祭祀集團とは祭祀從て禁忌を共同に行ふ集團であつて一人の世襲司祭者 lisi-kidaan lusʔan (祭の世話人の意)の指圖の下に同じ日に祭の狀態に入る間柄である。

これを祭を一緒にする者 Tagi-to-lus?an (lutsan) と呼ぶ。祭祀は主として農耕に關するものであつて、狩獵祭・首祭・子供祭等も含まれる。祭の行事は祭祀集團内の數箇づつの小氏族若くは中氏族を代表する數人の準司祭者が行ふ部族と各家の祭主が行ふ部族とがある。(註三)私の調査することが出來たのは各家の祭主によつて行はれるものであつて(蠻蕃及び郡蕃)これに關しては家祭の項に於て述べることにする。

祭祀集團の範圍は、

㈠數箇の蕃社を含むもの、

㈡一蕃社より成るもの、

㈢一蕃社が二つ以上の祭祀集團に分れて居るもの、

㈣成員が數蕃社に分れて居るもの、

等になつて居るが、先づ㈠の例としては卓社蕃及び卡社蕃とが擧げられる。卓社蕃はもと二つの祭祀集團に分れ各〻に次の如き蕃社が屬して居た。

（I） Take-savakan　司祭家　Tagi-tsokan

所屬する Atsaŋ (蕃社)

Take-hihlav, Valvanan, Maqlavan, Qaimutsan, Tonko, Tapatoqno, Loa, Vanaban. Luʔtan, Laqlaq, Taqaihoŋan, Lasiqan, Saiʔdo, Ṣavakan.

(II) Tak-qultavan　司祭家　Vaʔdintsinan,

所屬する Atsan

Sivihalan, Ququs, Tokolan, Qalmut, Toqul, Qultavan, Vaihal, Tô, Aukan,Vahulan, Avaŋan, Qaluṣ, Qaitsav.

卡社蕃にあつても次の二つに分れると言ふ(カニトアン社を除く)。

(I)　司祭家　Malaṣilaṣan

Asaŋ-daiŋgað (Kalimuan を含む), Lukajan, Aluṣan, Lahulan, Kabo.

(II)　司祭家　Mitijaŋan

Take-bunbun, Baqdats, Tamaðoan.

(二)即ち一蕃社より成るものは、巒蕃ではボクラウ社(Boklav)、郡蕃ではトンポ社(Take-tonpo) を始め例が多い。

(三)に屬するものはカトグラン社であつて此他カニトアン社の如く三部族の集つて居るところでは各〻別の祭祀集團を形作つて居る。カトグラン社は二つの祭祀集團に分れて居るのみでなく(一戸を除く)この各〻の集團には他の蕃社の者も加は

つて㈣の事例をも併せ示して居る。即ち

（I） 司祭者 ibi Işi-qaqabut

カトグラン社 (Qatoŋulan)	Şuvalean 4軒, Tanapima 3軒, Şoqoloman 1軒, Take-hunan 1軒, Işi-qaqabut 2軒（司祭者と共に）.
パラサゴン社 (Palasaŋon)	Şoqoloman 5軒.
ヒノコン社 (Hinoqon)	Soheqan 2軒, Taqnasan 1軒, Işi-qaqabut 1軒.
トアン社 (Toan)	Maişoqoan 3軒.
テバウン社 (Tivaun)	Işi-qaqabut 2軒, Take-hunan 1軒, Take-ļudun（郡蕃）1軒, Tanşikian 3軒, Taxavan（丹蕃）3軒.
ロンカイバン社 (Lonkaivaŋ)	Manqoqo 2軒, Take-hunan 12軒.
囒大社 (Asaŋ-daiŋŋað)	Işi-qaqabut 2軒.

（II） 司祭者 Pima Tanapima

カトグラン社	Tanapima 8軒（司祭者と共に）, Manqoqo 1軒, Tanşikian 1軒.
パラサゴン社	Tanapima 1軒.
囒大社	Tanapima 10軒.
トアン社	Tanapima 1軒.
シュート社 (Şût)	Maʔdikilian 4軒.

イリト社 (Ilito) Tanapima 3軒.

第一圖の番號の下に線を引いたのは(II)の集團を現はし線の無いのは(I)であつて三角印は夫々司祭者を示すのである。尚、臺中州の蠻蕃(カニトアン社を除く)は次の六祭祀集團に分れて居るといふ(カトグラン社調査)

(I) Ibi Işi-qaqabut (カトグラン社)
(II) Pima Tanapima (カトグラン社)
(III) Luqo Tanapima (蠻大社居住) 蠻大社の半分
(IV) Qaişul Şuvalean (ボクラウ社) ボクラウ社全部
(V) Aðiman Aðimanàn (ピシテボアン社) ピシテボアン社全部, イリト社の大部分, カトグラン社の Manqogo 一戸
(VI) Bion Takeşi-qaivaŋan (ランルン社) ランルン社

以上の様に祭祀集團の範圍には種々差異が存するが、これはその成立の條件と分裂の事情とに據るものであつて、祭祀は主として農耕に關するものであるから耕作物の開墾・播種・收穫の時期を等しくする地域の居住者で、且祭の行事の中には司祭者の家へ或は一定の場所に集合する必要のある場合があるから距離及び交通の利便の上からも集合し易い地域の居住者から祭祀集團の成立する傾向

がある。勿論祭祀は社會結合の宗教的表現であり、逆に結合を强固にする性質のものであるから、どの部族も一部族一祭團を理想とし部族によつては此理想を出來るだけ維持しようとして居るものもあるが、右に述べた事情はその部族に於ても見られることは次に述べる如くである。成立の條件はまた分裂卽ち新集團の成立及び他集團への移行の條件にもなるわけであるが、その他の分裂條件をもまとめて言ふならば大體次の如くである。

㈠農耕時期の差異卽ち氣溫・標高の變化、耕作物の種類の變化等。

㈡地理的距離の增大。

㈢成員間の不和。

㈣收穫の不良。

㈤病者死者の續出、夢見の不吉等。

實例を擧げるならば、㈠の例としては卡社蕃は始め一部族一祭團であつたが、ブンブン社は平地に近く、他社と粟の收穫の時期が異るので別に祭をする樣になつた。バクラス社タマロアン社もこれと一緒になつたのである。㈡の例としては卓社蕃も始めは一祭祀集團であつたが、Tak-qultavan と Take-ǥavakan とは距離が遠いので祭祀を別々に行ふ樣になつた。蠻蕃に於てランルン社が別れたのも㈠と㈡との理由からである。㈢によるものは蠻蕃の分裂の殆どがさうであつて、始め蠻蕃の司祭者はピシテボアン社(祭を始める合圖のために煙を出したから煙を出す意の pisitevo から社名が由來したと言ふ)の Manḁunus 家(今の Aŏimanan 家)であつたが、司祭者がよく人を叱るので Iṡi-qaqabut 姓の者(何代か前の Hadul)が怒つて分裂し、これに從つて同姓者と Take-hunan が分れてこれと一團となつた。續いて Ṣuvalean も分立することになつた。Loqo Tanapima の家も Manḁunus 家が多數をたのんで迫害を加へるので分立することになつた。續いて Takeṣi-qaivaŋan 家は前述の理由で分れ、最後に Pima Tanapima の家も今より五十年前、Manḁunus と不和を生じ分れることになつた。㈣によるものとしては、カトグラン社にある二戶の Manqoqo 家は兄弟であるが、粟の收穫が惡いのは司祭者の性であるとして弟の方はピシテボアン社の Aŏimanan に屬して居る。兄はカトグラン社の Tanapima に屬して居る。㈤による例は聞き漏したが決してないのではない。

註一　臺中州のブヌン族の一社平均戶數並に平均人口、一戶平均人口の算出は、臺灣總督府警務局「高砂族調査書第一編」の戶口の部に揭げられた蕃社中より、同局發行「高砂族授產年報昭和十一年版」所載、旣往蕃社集團移住狀況表中の昭和八年末迄に移住完了せる臺中州ブヌン族蕃社八社を除き、殘り三十五社の戸數人口に就き計算を行つたものである。これは官命により集團移住をした蕃社は從來散在して居た蕃社を數社まとめてしまふことがあるから、比較的古い生活をとゞめて居る蕃社の戸數並に人口を知るためには集團移住蕃社を除かねばならないのである。同樣の方法によつて他州の分を算出すれば、

	一社平均戸數	一社平均人口	一戸平均人口
高雄州	戸 二〇・	人 九九・八	人 九・九八
臺東廳	一〇・六三	九一・三一	八・五八
花蓮港廳	一五・一	一二八・一	八・四八

これら全ブヌンの平均が本文にあるが如くである。こゝに注意しなければならないのは一社の居住家屋は臺中州に於ては比較的集團して居るが、他州に於ては散居して居る例の少くないことである。（馬淵東一氏――中部高砂族の祭團、民族學研究第三卷第一號八頁參照）。

註二　算出法は前と同樣であるがパイワン族の分は總督府發表のパイワン族中よりパナパナヤン族とルカイ族の蕃社を除いて計算せるもの、北ツォウ族の戸數は既に分立せる家族を一戸と見做して居る「昭和十一年末蕃社戸口」により計算し、社數並に人口は昭和八年末の「種族部族別人口」に據つたのであるから多少の喰ひ違ひはあるが、從來の戸數計算に從ふよりは實際に近い。從來の如く本家のみを計算し耕作小屋より起つて獨立せる家を計算しない場合には一社九・五二戸、一戸平均一〇・二四人となる。

註三　馬淵氏「中部高砂族の祭團」に據る。

(三) 家族構成

(1) 構成樣式

こゝに家族といふのは、一家内に居住し家計を共同にする者を指し、その成員數、成員の間柄等を問題にしようとするのである。

前節第二表に於て示した樣に一戸平均人口は八・一三人であるが臺中州のブヌン族の一戸平均は一一・五〇人となつて居る。從つて一戸の内に二十人位を含む家族も少くはない。かやうに家族員數の多いのは後に述べる樣に傍系血族、或は同姓の同居人を含むものが多いからではあるが、直系血族より成る場合にも世代を多くし員數を多くする一理由が存在して居る。それは婚姻年齢が他種族に比して低いといふ事實である。(註一) 今、高砂族調査書に發表されて居るところによつて比較して見ると第三表の樣になる。(註二) 初婚最年少者の七歳及び四歳は事實上の婚姻關係に入つたのではなく唯婚姻の儀式を行つたのみである。幼時式を擧げても夫家に入るのは八・九歳以後、事實上の婚姻關係に入るのは十三歳前後からとされて居る。

第三表

	總件數			平均年齢		最多年齢		最年長最年少(除再婚)				再婚者(再掲)		
	總數	嫁娶	招婿	男	女	男	女	最年長 男	最年長 女	最年少 男	最年少 女	總數	男	女
總數	1,365	1,162	203	24.8	21.5	20–30	15–20	47	45	7	4	700	368	332
タイヤル	483	444	40	24.4	21.8	20–30	15–20	35	38	11	13	239	129	110
サイセット	5	5	—	24.4	17.2	20–30	15–20	23	21	18	15	5	4	1
ブヌン	313	313	—	20.9	17.9	20–30	15未滿	37	37	7	4	112	60	52
ツオウ	12	12	—	24.4	20.5	20–30	15–20	31	28	21	15	9	4	5
パイワン	531	370	161	27.6	18.9	20–30	15–20	47	45	16	13	314	160	154
ヤミ	20	18	2	23.1	22.6	20–30	20–30	23	28	18	16	21	11	10

期間は昭和八年、パイワン中にはルカイ、パナパナヤンをも含む。

次に家族成員間の間柄であるが、今、丹蕃テルサン社一一戸(現在治茆に移住せるもの)、卡社蕃タマロアン社七戸(バクラス社より移住せるもののみ)、郡蕃イバホ社の一部六戸に就きその間柄を示せば次の通りである。

(I) 丹蕃テルサン社、

㈠直系血族及その配偶者より成るもの

一、戸主、妻。息、息の妻、孫三。息、息の妻、孫二。　計一一名

二、戸主、妻、息。　計三名

三、戸主、妻、息二。　計四名

四、戸主、妻、娘。　計三名

五、戸主、妻、息、娘。母。　計五名

㈡傍系血族及その配偶者を含むもの

一、戸主、妻。息、息の妻、孫三。息、息の妻、孫五。息、息の妻、孫二。孫、孫の妻。甥、甥の妻、姪孫二。　計二四名

二、戸主、妻、息、娘二。弟、弟の妻、甥四。　計一一名

三、戸主、妻、息四、娘。甥、甥の妻。甥。　計一〇名

㈢同居人を含むもの

一、戸主、妻。母、弟、妹三。兄嫁。従弟。従叔母。同居人、同居人の妻、同居人の息。　計一三名

二、戸主、妻、息、息の許嫁、娘二。妻の姉。　計七名

三、戸主。息、息の妻、孫。弟、弟の妻、姪、甥三。甥、甥の妻。同居人、同居人の妻。同居人、同居人の妻、同居人の弟。　計一七名

(II) 卡社蕃タマロアン社、

(一)傍系血族及びその配偶者を含むもの

一、戸主、妻、息。甥。甥、甥の妻。甥。　計七名

二、戸主、妻。弟、弟の妻。　計四名

三、戸主、妻、娘。弟、弟の妻、甥。　計六名

(二)同居人を含むもの

一、戸主、妻、妻と同姓の女兒。甥、甥の妻。同居人、同居人の妻、同居人の娘二。　計一〇名

二、戸主、妻、息、娘。同居人二。　計六名

三、戸主、妻、娘三。同居人、同居人の妻。　計七名

四、戸主、妻、娘。從弟。同居人二。　計六名

(III)郡蕃イバホ社、

(一)直系血族及びその配偶者より成るもの

一、戸主、妻、娘三。　計五名

二、戸主、妻。　計二名

(二)傍系血族及びその配偶者を含むもの

一、戸主、母、妻、娘二、息二、弟。　計八名

二、戸主、娘、姪、從弟、從弟の妻、從姪二、從姪女三。　計一〇名

三、戸主、妻、息、息、息の妻、孫四、甥、甥の妻、姪孫女二。　計一三名

(三)同居人を含むもの

一、戸主、母、妻、娘、妹、同居人、同居人の妻、同居人、同居人の妻、同居人の息、同居人、同居人の妻、同居人の

婦、同居人の孫二、同居人の孫の妻、同居人、同居人の娘。　計一八名

以上の様にブヌン族は一般に傍系親、同居人を含み從つて員數の多い大家族を維持して居るが、この大家族生活そのものは長い間の歷史的結果であるにしても、かゝる生活の維持を可能ならしめて居る條件としては如何なるものが擧げられるであらうか。先づ、氏族制度が確立し、姓といふもののあることが、同姓者をして集合させ生活を共同にさせる條件となる。このことはツォウ族に就いても言ひ得ることである。次にブヌン族は農產物の收量と貯藏量とを多くすることに極めて强い關心を持つて居る。このためには勞働力の多い且生計費が少くてすむ大家族が好都合である(寫眞(2)は家の中に貯藏して居る多量の粟であつて二・三年分を貯藏して居るのが普通である)。次に敵蕃の襲擊に對しても一戶內に多人數集つて居る場合は防禦し易い。殊にブヌン族の新移住地に於けるが如く非常に離れて各戶が點在して居る場合には此必要が强い。更に前にも述べた樣に同姓者が多く集れば蕃社に於て勢力を振ふことが出來ると同樣に一家族內に屈强の男子が多勢居ればその家は蕃社內で重きをなすことが出來る。蕃社としての組織の弱いブヌン族にあつてはこの事情が一層著しい。

彼等はかやうに大家族生活を理想とし分戸を嫌ふのであるが、大家族生活の中にあつても、夫婦・親子を中心とする小家族的結合は決して排除されず寧ろ核心的なものとして存在して居るのである。即ち經濟生活の上に、相互的態度の上に、教育の上に此小家族的結合は最も強い結合として現はれて來る。此等に關しては後節に詳述することとしこゝでは一家内にあつて結合の種類に應じて生活の場所卽ち居間同時に寝室を異にして居る有樣を實例によつて示さう。それは、カトグラン社の頭目Pajan Tanapimaの家に就いてゞあるが、彼の家族は次十九名から成つて居る。

住居第一

(1) 戸主 Pajan Tanapima　　(3) 弟 Lobe Tanapima
(1) 妻（後妻） Kaut Take-hunan　　(3) 弟の妻 Quşaşi Maişoqoan
(1) 妻の先夫の子 Quşaşi Tanapima　　(3) 弟の次男 Sai Tanapima
(2) 三男 Manşone Tanapima　　△ 弟の長男 Naşin Tanapima
(2) 許嫁 Laŋui Take-hunan

住居第二

(1)′ 同居人 Ibi Tanapima　　(1)′ 妻 Niun Işi-qaqabut

(1)′ 長　男　Vilian Tanapima
(1)′ 長　女　Laqui Tanapima
(1)′ 次　女　Ibo Tanapima
(2)′ 同居人　Pajan Tanapima (Ibi の弟)

(2)′ 妻　Sabe Najabulan
(2)′ 長　男　Lobe Tanapima
(2)′ 長　女　Laqui Tanapima
△ 同居人　Sai Tanapima

而して夫婦並に幼兒は右の番號並に第二圖の如くそれぞれ同一の寢室に寢起きしこゝに私財を置くのである。(寫眞(3)はカトグラン社に於ける家屋の外觀を示し、同(4)は寢室の外觀を示す)。棟を分けた場合戸主に血緣の近い者のみ同一棟に集り同居人(孤兒を育てたのである)は別棟に移して居る。△印の未婚の青年は父母と分れて爐の傍に寢るのを示したものである。以上は生活を共同にしながらも小家族的結合が強く保たれ、且結合の強弱に應じて態度の上に距離の置かれて居

第二圖

Pajan Tanapima の住居(第一)

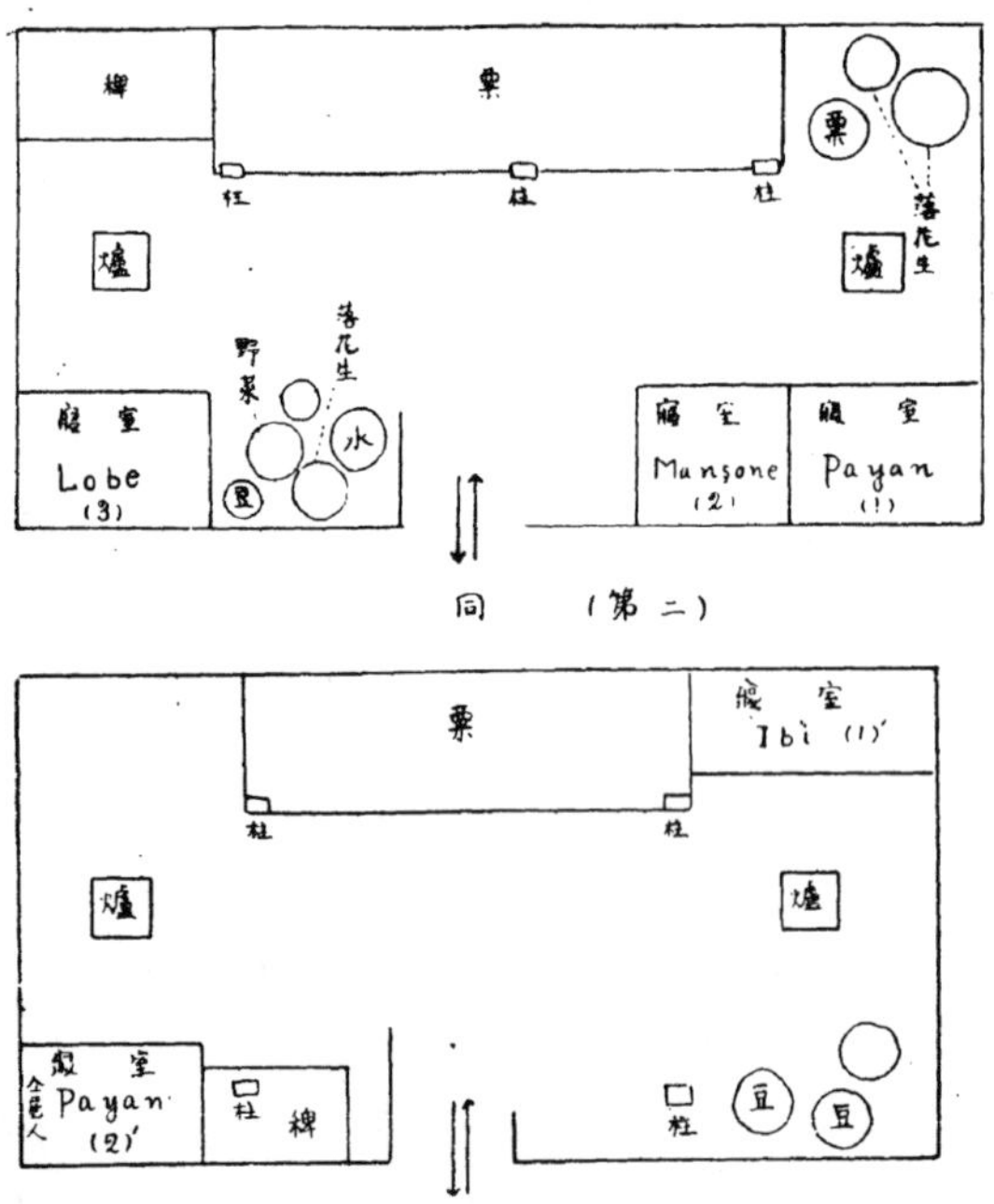

ることを外形的に明瞭に現はして居るものと言ひ得る。テルサン社、タマロアン社の表に於ても小家族的結合毎に句切つて置いた。

家を代表して外部と折衝し、内にあつては共同財産の管理をなす家長 lisikadaan lumaq (家の世話人の意)即ち戸主は前戸主の直系長男子がなり、男兒無き場合に一家内の傍系の者に移る。戸主が幼い時は一家内の長老と相談して事を處理するが、一般に戸主は獨斷で事を處理することは殆ど無くすべて一家内の者と相談して行ふ。從つて、獨斷で事を處理したといふ事が分裂の原因となることが少くない。例へばカトグラン社の Pima Tanapima と Sai Tanapima とは兄弟であるが、戸主たる Pima が共同の金を隱匿したといふので酒の席で喧嘩となり遂に家を分つ樣になつた。戸主はまた祭祀の際一家を代表する祭主となることが多いが幼少のときは同居の伯叔父または他の長老がこれに代る。

戸主の配偶者卽ち主婦は權利義務に關して他の女子と何等異るところは無い。最後にブヌン族の親族名稱を圖示しよう。これは郡蕃トンポ社に於て調査したものであつて、尚不完全なものであり且部族によつて多少異つて居るところもあるのは事實である。

註一　一家族內に同時に存在し得る世代數を決定するものは、戸田教授の說かるゝが如く一、國民一般の平均初婚年齡の高低如何。二、有配偶女子の出產率の大小。三、國民一般の年齡別生存率の如何、であるから（戸田貞三教授著「家族構成」五三五——三六頁）、單に婚姻年齡のみを問題にするのでは全く不十分であるが、この方面の調査の進んで居ない高砂族に就いてはこれ以上の事が言へない。

註二　高砂族調査書第三編（進化）三四二——三四三頁に據る。この表は第二表と異つて移住蕃社をも含み、またルカイ、パナパナヤン族がパイワン族の中に含まれて居るのであるが、比較には差支へないのでそのまゝにして置いた。

(2) 婚姻、離婚その他

ブヌン族の婚姻に關して先づ注意しなければならないのは氏族關係による制約である。卽ち婚姻に就いては次の原則が行はれて居る。

㈠父の屬する大氏族成員との婚姻禁止

㈡母の屬する中氏族成員との婚姻禁止

㈢同一中氏族の女子達より生れたる者相互の婚姻禁止。

では、この原則が現實に於ても守られて居るであらうか。これを知るために、テルサン社の十一戸に於て行はれた婚姻及びイバホ社の十四戸に於て行はれた婚姻の內容を調べて見た。その結果、第一の原則に關しては第五表（テルサン社）第

第 四 表

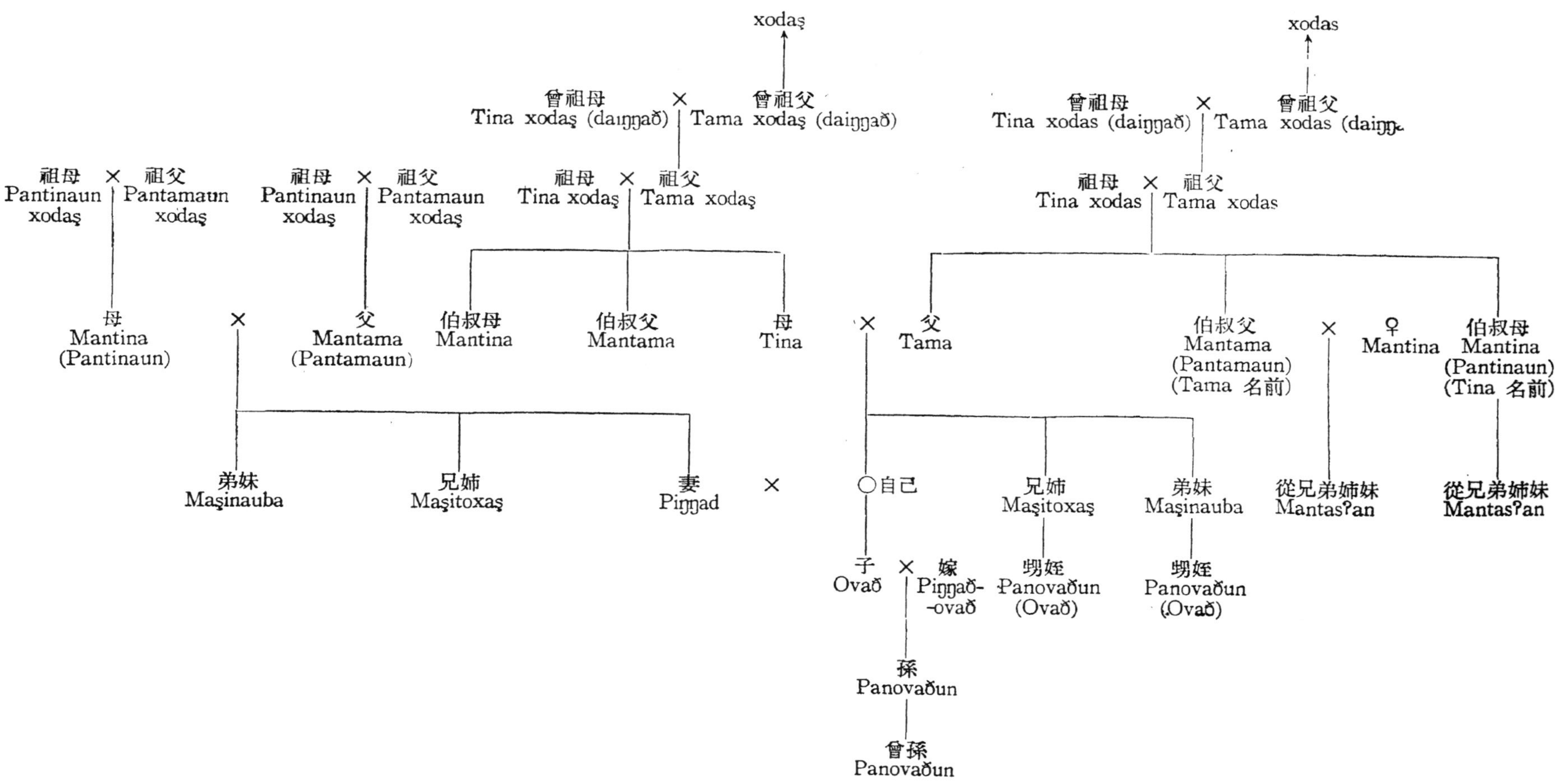

xodaş
曾祖母 Tina xodaş (daiŋŋað) × 曾祖父 Tama xodaş (daiŋŋað)
xodas
曾祖母 Tina xodas (daiŋŋað) × 曾祖父 Tama xodas (daiŋŋ-
祖母 Pantinaun xodaş × 祖父 Pantamaun xodaş
祖母 Pantinaun xodaş × 祖父 Pantamaun xodaş
祖母 Tina xodaş × 祖父 Tama xodaş
祖母 Tina xodas × 祖父 Tama xodas
母 Mantina (Pantinaun)
父 Mantama (Pantamaun)
伯叔母 Mantina
伯叔父 Mantama
母 Tina
父 Tama
伯叔父 Mantama (Pantamaun) (Tama 名前)
♀ Mantina
伯叔母 Mantina (Pantinaun) (Tina 名前)
弟妹 Maşinauba
兄姉 Maşitoxaş
妻 Piŋŋad
○自己
兄姉 Maşitoxaş
弟妹 Maşinauba
從兄弟姉妹 Mantas?an
從兄弟姉妹 Mantas?an
子 Ovað
嫁 Piŋŋað-ovað
甥姪 Panovaðun (Ovað)
甥姪 Panovaðun (Ovað)
孫 Panovaðun
曾孫 Panovaðun

六表(イバホ社)の如き数字を得たが、これによつて見ると、迎娶・出嫁の何れに就いても、自己の属する大氏族(左欄)とは異る大氏族(上欄)とのみ婚姻して居る。従つて第一の原則は厳格に守られて居ることを知り得るのである。

第五表

		(I) (A)	(I) (B)	(I) (C)	(I) (D)	(II) (E)	(III) (F)	(III) (G)	(IV) (H)	(I)△	(J)△	小計	巒蕃	卡社蕃	本島人	計
(I){(A)(B)(C)(D)} (II)(E) (III){(F)(G)} (IV)(H)	迎娶						1	8	2		5	16		9		25
	出嫁						3	1	2		5	11	8	6	1	26
(I)△ (J)△	迎娶	1					1	1						1		4
	出嫁	4														4
計	迎娶	1					2	9	2		5	19		10		29
	出嫁	4					3	1	2		5	15	8	6	1	30

丹蕃テルサン社

第六表

			(I) (A) Paḷabe	(I) (B) Işi-tanda	(I) (C) Takeşi-tauḷaan	(I) (D) Işi-paḷakan	(I) (E) Işi-nankoan	(II) (F) Işi-ḷitoan	(II) (G) Take-ḷudun	(III) (H) Işi-babanaḷ	小計	蕃	本島人	計
(I)	(A) Paḷabe	迎娶						4	4		8	2		10
		出嫁						3	2		5	1		6
	(B) Işi-tanda	迎娶						6	2	4	12	9		21
		出嫁						4	2	1	7	7		14
	(C) Takeşi-tauḷaan	迎娶						3	1	1	5	10		15
		出嫁						3	1	1	5	3	1	9
	(D) Işi-paḷakan	迎娶												
		出嫁												
	(E) Işi-nankoan	迎娶												
		出嫁												
(II)	(F) Işi-ḷitoan	迎娶	3	5	1						9			10
		出嫁	2	2							4	1		4
	(G) Take-ḷudun	迎娶												
		出嫁												
(III)	(H) Işi-babanaḷ	迎娶												
		出嫁												
計		迎娶	3	5	1			13	7	5	34	22		56
		出嫁	2	2				10	5	2	21	11	1	33

郡蕃イバホ社

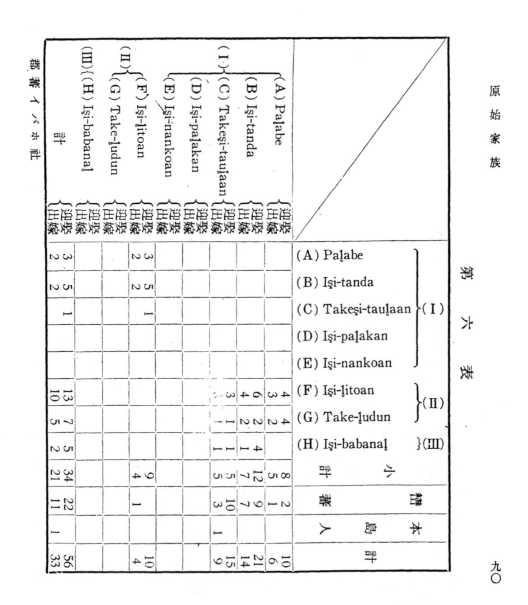

次に、第二の原則に關しては、同じくイバホ社の事例によつて第七表の如き(括弧を附した方)結果を得た。これによつて見ると殆ど全部が母の屬する中氏族の成員と婚姻して居ない。卽ち自己の母の中氏族と妻の父の中氏族とは同一ではない。(註一)併し一件例外があつて、Palabe 家の一人が蕃社は異つて居るが自己の母の屬する中氏族 Take-ludun から妻を娶つて居る。(＊印はそれを示す)

最後の第三の原則であるが、これは第七表の括弧を附してない方の數字がそれに關するものである。第六表に比して數字が少いのは自己の母の中氏族名と妻の母の中氏族名に就いて多少の調査漏があつたからである。郡蕃相互に關する限り第三の原則に反する婚姻は無いが、巒蕃との婚姻に、同じく一件母と同一中氏族の女子から生れた女を妻にして居るのがあつた。(註二)

以上、事實によつて見ても婚姻に關する三原則は非常に良く守られて居ると言ひ得る。併し、かやうな三原則は婚姻の相手方を選ぶ範圍を極めて制限するものであるから、恐らく他部族との婚姻によつてその障碍を越へようとするであらうとは推察し得るところである。この事は第五表・第六表にも明かに現はれて來て居る。丹蕃にとつては卡社蕃及び巒蕃と、郡蕃にとつては巒蕃と、かゝ

第七表

母の中氏族 ＼ 妻の母の中氏族及び（妻の父の中氏族）	(I) (A) Paḷabe	(I) (B) Işi-tanda	(I) (C) Takeşi-tauḷaan	(I) (D) Işi-Paḷakan	(I) (E) Işi-nankoan	(II) (F) Işi-ḷitoan	(II) (G) Take-ḷudun	(III) (H) Işi-babanaḷ	小計	贅蕃	計
(I) (A) Paḷabe		(2)							(2)	(1)	(3)
(I) (B) Işi-tanada	(1)		(1)				1		1 (2)		1 (2)
(I) (C) Takeşi-tauḷaạn		1					(1)		1 (1)		1 (1)
(I) (D) Işi-Paḷakan											
(I) (E) Işi-nankoan											
(II) (F) Işi-ḷitoan							(2)	(4)	(6)	1 (7)	1(13)
(II) (G) Take-ḷudun						(1)	*(1)		(2)	(1)	(3)
(III) (H) Işi-babanaḷ						(1)			(1)	1 (2)	1 (3)
小計	(1)	1 (2)	(1)			(2)	1 (4)	(4)	2(14)	2(11)	4(25)
贅蕃		2 (1)	1			1 (6)	1 (1)	1 (2)	6(10)	5(11)	11(21)
計	(1)	3 (3)	1 (1)			1 (8)	2 (5)	1 (6)	8(24)	7(22)	15(46)

郡蕃 イバホ社

る婚姻が非常に多い。そこで、如何なる地域の他部族と婚姻が多く行はれるか、また同一部族にあつても婚域は如何様になつて居るかを知ることが大切である。第八表はイバホ社に關するものであるが、熟蕃との婚姻が半近くを占めて居る。

第八表

	部蕃												熟蕃											本島人(集々)	計
	イバホ	ホンコ	イバタン	ムソ	マシタルン	内茅埔	パルカウン	郡大社	ヴァダヌア	ハタラン	トンポ	小計	イリト	ババイノ	カトグラン	ピシテブアン	タマロアン	ハイノゴ	熟大社	カリプソン	ボクラウ	ランルン	小計		
(I) (A) Pajabe	2	3	2	4	1	1						13	1	1	1								3		16
(I) (B) Işi-tanda	8	1		1	1	1	1	2	1		1	17	1	1	3	4	1	1	2	1			14		31
(I) (C) Takeşi-tauḷaan	2			3	2		2	1				10	4	1		4					2	1	12	1	23
(I) (D) Işi-paḷakan			1									1				2					1		3		4
(II) (F) Işi-ḷitoan	7			2				3		1		13				2							2		15
計	19	4	3	10	4	2	3	6	1	1	1	54	6	3	4	12	1	1	2	1	3	1	34	1	89

第九表

	丹蕃											巒蕃						卡社蕃						本島人(集々)	計
	テルサン	丹大社	カネトアン	ハバアン	ミシコアン	カアラン	カンムツ	パロボン	ヒノコン	カイトン	小計	ランルン	カトグラン	イシガン	カネトアン	イリヾト	小計	カネトアン	ラフラン	カリモアン	アルサン	タマロアン	小計		
(I) {Manqoqo	3	5	2	1	5	3	5	1	1	1	27	1	2	1	3	1	8	5	6	2	1	1	15	1	51
△Tasi-nunan	5			1							6										1		1		7
計	8	5	2	2	5	3	5	1	1	1	33	1	2	1	3	1	8	5	6	2	2	1	16	1	58

第九表はテルサン社の分であつて、同一部族内の婚姻が多數を占めては居るが、巒蕃・卡社蕃との婚姻も兩方合すれば全體の半近くになる。かやうに他部族との婚姻が非常に多いが、如何なる條件の下にある他部族と婚姻が行はれるかに就いて理解を助けるものは第三圖である。同一部族間の婚姻は直線を以て示し、他部族間の婚姻は點線を以て示した。これによつて見れば、自社内が最も多いが、外部とは部族の如何を問はず地域的に接近して居る社との間に婚姻が頻繁

第　三　圖

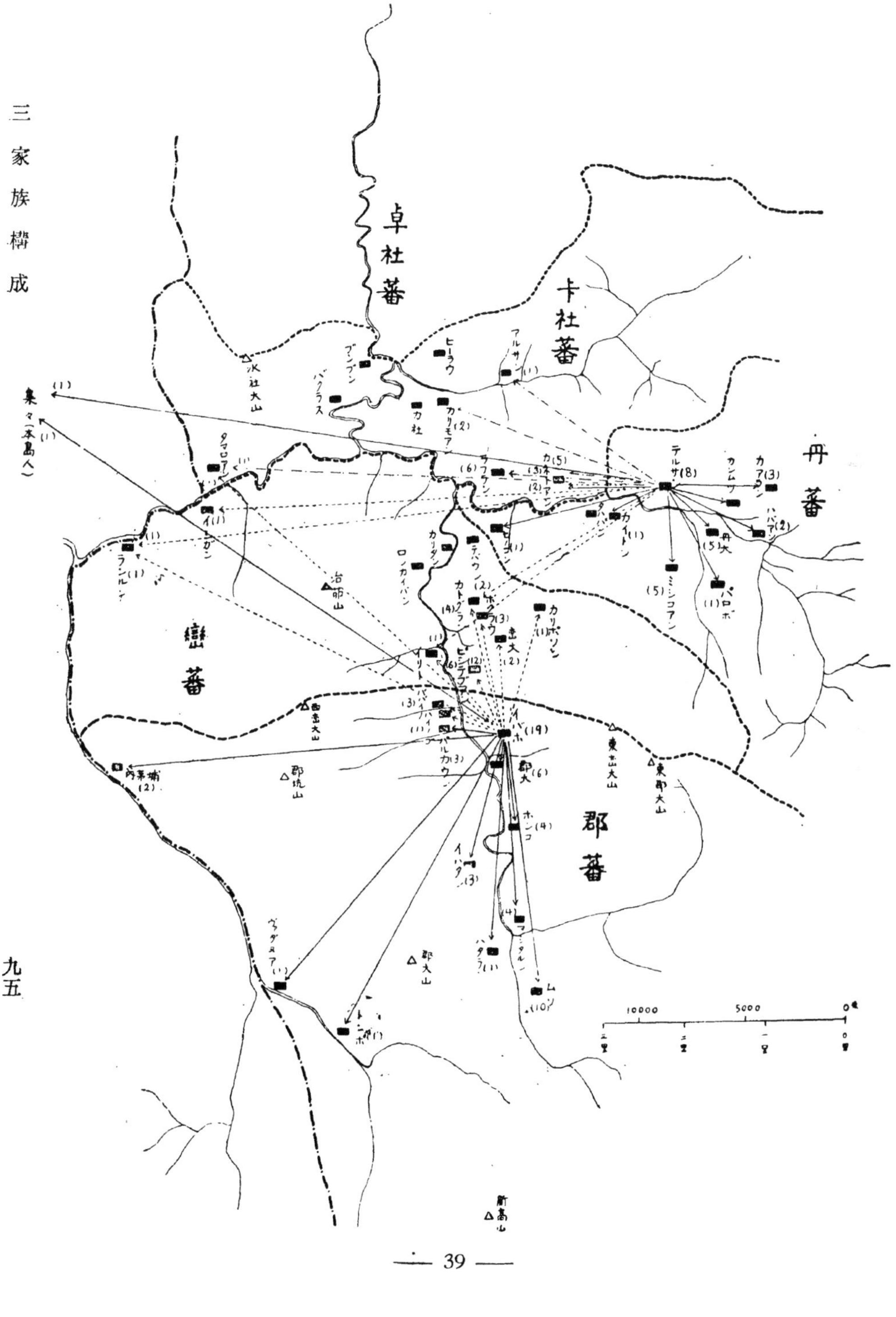

に行はれて居るのを知る。従つて、この事實からのみ見ればブヌン族の婚姻は地域的に接近して居る者との間に行はれ易く、且婚姻に關する制限の結果自部族内に婚姻を集中せしめず他部族との間に屢〻結婚を行はしめて居ると言へるであらう。この點北ツォウ族の婚姻が自部族而も自社に集中して居るのと趣を異にして居る。(註三)

禁止されて居る者同志が婚姻すれば或は本人が死んだり親が死んだり或は子が育たなかつたりする。婚姻がなくとも性的關係が出來ても本人達は必ず死ぬと言ふが、實際は婚姻といふことに重點が置かれて居るのであつて、ブヌン族に多い酒宴の際の性的亂行の相手方は血縁の濃い者を除いては氏族關係にあまり煩はされない様である。

婚姻に關する慣習は部族によつて多少の相違があるが大綱に於ては變りがないから、こゝには卡社蕃タマロアン社の例を記すこととする。

婚約は女子の三・四歳乃至十二・三歳の間に結ばれる。これは男の親の一方(仲介人を立てる場合もある)が蕃刀或は鍬或は布類五・六尺を持參して娘の家へ出掛け娘の兩親に娘を呉れないかと相談する。これに對して娘側では最初は斷る。即ち「今は何處へもやり度くないからどうか惡く思はない樣に」と答へるのである。男側では再び出直して來て懇願するがその際、承諾して吳れるならばかく〳〵の結納品を手渡すと切り出し相手方も承諾の意があれば種々註文をつけ愈〻相談がまとまつたら持參した蕃刀或は鍬を置いて歸る。結納品としては普通牛一頭或は豚一頭、鍬一挺、鎌一挺、鐵鍋(約二圓)一つ、眞鍮鍋(約一圓五十錢)一つ、衣類男女用一着づつ、ネル類十尺位、黑木綿一反、毛布一枚、粟五・六斗で作つた粟酒、等である。(註四)婚約が結ばれたら、女側は「娘を連れに來る時には角力をとるぞ」と言ふ。結納品の一部は近い所であれば翌日持參する。二・三日乃至四・五日後に娘を連れに行くがその際男側の小氏族若くは中氏族中の力の強い若者二・三人に伴はれて男の母親又は兄嫁が出掛ける。娘の家に着いて「愈〻連れに來た」と言ふと向ふは同樣に屈强の若者二・三人が出て來て「角力をとらう」と挑み角力になる。これは相手の背を地面に着けなければ勝でないが勝負は併し問題にして居ない。角力の最中に逃げようとする娘を男側の他の若者が捕へようとし、女側の若者は邪魔をする。最後に男側の若者が娘を擔ぎ上げて男の家へ連れて來る。門口に着くと內から粟飯を持つて來て娘の口を開いて押込み、次の樣な意味の呪文を唱へる「お目出度い事である。(嫁をもらつて來たからこれが働いて)粟・豆・木豆・甘藷・里芋・唐黍・豚・鷄等が澤山出來る様に!」。次いで家に入れて家の者が娘に「此家の者になつたのだから落着いてこゝに居る様に!」と言ひ、娘は「夫が自分を可愛がつて呉れればずつと居る」と答へる(幼女の場合は默して居る)。嫁は一日二日夫家に泊つて實家に歸る。幼女の場合は十歳乃至十二・三歳になるまで實家に留るが、成女であれば實家に二・三日居ると婚家から迎ひに行き連れ歸る。そして酒を作り實家の者を招待する。實家の者は社人を出來るだけ澤山、更に他社に居る親戚をも伴ひ行く。この他婚家の社の者全部、他社に居る親戚が招待される。酒宴の飲食物には結納品中の豚や牛や酒が使はれるのである。酒宴は家計の都合で二・三年延期されることがある。再婚(夫或は妻の死後十箇月位經つてからのが多い)は初婚のときと同様に披露する。一般に寡婦鰥夫は初婚の男女とは婚姻しない。これは初婚者に死を傳へる恐れがあるからだとされて居る。再婚同志であれば構はない。同様の理由から、兄の妻が夫に死別して弟の妻になるのはよくない、併し一旦他家に嫁して次いで弟の妻になるのは構はないとイバホ社では言つて居る。交換婚卽ち相互の兄妹が婚姻し合ふ典型的のものを始めとして兄妹でなくとも甲家が乙家へ出嫁せしめるのと交換に乙家から甲家へ出嫁するといふ様な婚姻方法はブヌン族では比較的多く行はれ昭和八年には婚姻總數三一三件中九二件がこれである。結婚の形式には變りはないが結納や宴會の費用が少くて濟むから好いと言はれて居る。

離婚は、男からなす場合は殆どなく、女が夫を嫌ひ或は男の親と不和になつて出て行く場合が多いと言ふ。その際には嘗て與へた結納品は夫家へ返還しなければならない。併し女が實家から持つて來た品は持ち歸る。子供は全部男の家に屬するが乳呑兒は乳離れする迄母親のところに置きその後取返す。昭和八年のブヌン族の離婚は次の樣になつて居る。

	總數	十五歲未滿	十五—十九歲	二十—二十九歲	三十歲以上	平均年齡	最年長	最年少
男	五四	六	一七	一七	一四	一九・五	五一	九
女	五四	八	二五	八	一三	一九・五	五六	一六

高砂族調査書第三編進化三九八——三九九頁に據る。

次に、姦通に對する制裁は餘りひどくない。妻が獨身の男と關係した場合には夫及び妻の親が妻を、男の親が男を打擲する。それでも聽かないときには胡椒を眼や陰部に塗りつけるといふ。妻と他の夫との關係が生じた場合には妻に對して同樣の制裁が加へられるが姦夫に對しても同姓者が打擲する。娘と有婦の夫との關係は娘の親或は許嫁者のあるときにはその親が打擲するが娘はやはり嫁として迎へる。これは女子が足らないためであるといふ。

出產・死亡に關する慣習に就いてもタマロアン社の事實を述べれば、子供を家の中で生む者は少く、家を出て草原とか人目に觸れないところで獨りで生むのが普通である。難產のときには人を呼ぶ。臍緒は晒した麻絲で根元を縛り一寸五分位殘して竹のナイフで切る。後產は夫が家の入口等に深さ一尺五寸位の穴を掘りそのまゝ埋め石を載せて置く。これは犬等が掘り出すとその子供が死ぬからである。臍緒は握つて揉むと一晩位で脫ちる。とれた臍緒は母親が鞣皮製の小袋に入れて首に掛けて居る。これを Pasiija といひ、子供が死ねば捨てるが二人以上子があれば全部死ぬ迄は捨てず、最後の子と一緒に葬る。この Pasiija は子供が病氣のときにこれに呪文を加へ、子供が旅行したりした場合に無事を祈るにもこれを用ふる。母親が死ねば Pasiija は家の中に藏つて置く。產兒は湯を使はせて有合せの着物で包む、乳は直ぐに飮ませる。一晩經つて酒に作る粟を洗ひ二日目に酒にしてその翌日酒宴をする。それには一家と女の兩親と社内の老人が列する。尙妊婦のある時には罠で捕へた動物の肉を燻製にして貯藏して置くがそれをこの酒宴のときに食べる。

生兒に關する儀禮としては生後三箇月に hulan (種粟)を持つて母親の實家を訪問することや Buwan matoqtoqtai (丹蕃・巒蕃の buwan paviðoan に當る)にそれ迄一箇年間に生れた長子を連れて母親の大氏族を訪問して持參した竹筒の酒を嘗めさせる儀式等がある。この他巒蕃・丹蕃・郡蕃には首飾祭とてそれ迄一箇年間に生れた子供に首飾をつける祭がある。

命名は丹蕃・郡蕃では首飾祭の月にすることになつて居るが他部族では一定して居ない。多く男兒の名は祖父、女兒の名は祖母の名をとり子供の數が多くなるに從つて他の近親の名をとつて行くのが普通である。(註五)

子供は乳齒が永久齒に變つた頃上顎の犬齒二本を拔く。容貌を美しく見せる爲であると言つて居る。この他穿耳を生後間も無く行ふ。

次に死者が出れば坐縛し、入口のところの石を除き穴を掘り(一家内の子供以外の男子が掘る)、屍體を埋めて土をかけ石をもとの通りに敷く。屍體と共に葬るものは、男子に對しては鍬、蕃刀、鍋、衣類(一枚)、女子に對しては衣類一枚、子供に對しても衣類一枚である。變死者はその場で埋めるのであつてその世話をするのは一家の者のみで他の者は見てはいけないといふことになつて居る。爐の火は變死者の出た場合には取換へるが病死のときは取換へない。服喪は一家の者は六日間でこの間仕事を休み蟄居する。同社内の者は一日間仕事を休む(薪取りのみは良い)。嫁が死ねば夫家一家の六日間の服喪の外に實家の者が一日休む。實家の父母が死ねば嫁のみ一日休み孫は休まない。變死の場合も服喪は病死のときと同樣である。六日間の服喪を終れば少し酒を作つて全社で飲み忌明けとする。

註一　婚姻に關する第二の原則によれば母の屬する中氏族の成員とは婚姻することは出來ない。逆の側から言へば、自己の中氏族の女子から出生した者とは婚姻し得ない。かゝる關係に立つ者が他を指す言葉としては、自己の母の屬する中氏族を指すときには Madadaiŋŋad (郡蕃・巒蕃・丹蕃・卡社蕃)、Tanqapo (卓社蕃)等と呼び、それ〴〵先祖、一つの木の株といふ語義を持つて居る。逆に自己の中氏族の女子から生れた者を l̥oðin (郡蕃) panovaðun (郡蕃) l̥oqei (巒蕃・丹蕃) Masi-loqei (卡社蕃・卓社蕃) Mantanqapo (卓社蕃)等と呼ぶ。l̥oðin とはトンポ社の一老人の言ふところによれば母方の binsax(=hulan)を食べていけない意だそうであるが馬淵氏の調査によれば l̥aði(赤坊の意)と關係があるらしいといふ(馬淵氏「ブヌン・ツオウ兩族の氏族組織と婚姻規定」二二頁) panovaðun は孫とか甥を呼ぶ時に用ひられ、loqei は馬淵氏に據れば「飛ぶ鳥（qaðam）の雛」を意味する。Maşi- 或は Man 或は Pan 等の接頭語は「相當する」「等しい」等の意を持ち、本物よりやゝ離れたものを指す場合にも用ひられると言ふ(卡社蕃タマロアン社)。

註二　第三原則によれば同一中氏族の女子達から生れた者同志は婚姻出來ないが、これらは相互に Maşi-tasʔan（郡蕃）、或は Teŋkaşiðan（郡蕃・巒蕃）、man-tasʔan（各部族）、lala-tasʔan（卡社蕃）、mai-tasʔan（卓社蕃）と呼び合ふ。第二のものの意味は不詳。lala は「離れた」といふ意。man-tasʔan は從兄弟姉妹を指す場合に用ひられる。

註三　拙稿、臺灣北ツオウ族の外婚に就て、(社會學研究第一輯)二六三頁參照。

註四　イバホ社の頭目 Nattoq Paļabe が婚姻したときの結納は胸當一枚、反物一反、赤ネル一反、この他宴會用としての豚一匹、粟酒(粟二罐を酒にした)であつた。併し現在では同社の生活に餘裕が出來て來たので、毛布一枚、反物八反、內地衣五着、ネル三反(以上三十圓に當る)の他に現金三十圓乃至四十圓を渡す。酒宴には牛一頭、粟酒（粟を石油罐八—十罐分用ひて作つただけ）を用ひるから婚姻のためには百圓を超える費用が必要である。イバホ社の一戶當りの實收入三百二十五圓(高砂族調査書第二編生活より算出)と比べて相當の額である。

註五　子供の名を先祖の名から取るためであらうか、男子の名は各大氏族にとつて特有のものが生ずる。今、巒蕃に就て見るに、例へば、

(Ⅰ)大氏族(第一表Ⅱ參照)にあつては、

Bion, Laneqo, Laqo, Talum, Pavaan, Aðiman.

(Ⅱ)大氏族

Qoppil, Itteki, Pima, Mooð, Hanŋəð, Lida, Pajan, Sanean, Baqoal, Lava, Paqo.

(Ⅲ)大氏族

Manema, Baso, Kimmat, Banetol.

(Ⅳ)大氏族

Lumau, Moo, Ulan, ‘Qava, Toppas. 等であつて、この他共通男子名として
Bişaðo, Umaşi, Kaisul, Ibi, Tean, Vílian, Kovun, Şuvale, Balaan, Laun, Lusqau, Şai. 等がある。
女子名は共通であつて、Umau, Ilon, Ule, Ibo, Tanivo, Pune, Walis, Niun, Işol, Łanqoi, Livan, Aʔbus, Appen. Sane, Pinnað, Şaboŋað, Mee, Limun, Şavee, Palaqo, Tolume, Maia, Tsihav, Şokot, Avo, Kavus, Lagus, Ale, Mua Talimua, Ubao, Kuşas, Nanê, Kaut, Hune.等がある。

(四) 家族機能

(1) 經濟生活

(A) 財　產

ブヌン族に於ては他の高砂族に於けると同樣にその主要生業である農耕は同一家屋に居住する家族が單位となつて營んで居る。而して耕地はかゝる家族の所有するところであつて、焼畑は休耕中も所有權はやはり家族にある。新しく開墾せんとする場合その土地が他家の休耕地でなければ誰が開墾しても構はない(丹蕃テルサン社)。普通蕃社の周圍を開墾するのであるが、それが他の中氏族例へば Qalavajan の狩獵地になつて居ても別にその氏族に斷るに及ばない(卓社蕃

(1)

(2)

(3)

(4)

(5)

(6)

(7)

(8)

(9)

(10)

ラク社)。蕃社の周圍で無く往くのに數時間を要する土地を開墾し耕作小屋に寢泊りする樣な場合にも、少くとも臺中州のブヌン族の狩獵地は更に遠く州境近くにあるため、所有關係は餘り問題にせず他人の休耕地で無い限り自由に開墾して居る(郡蕃イバホ社)。而も餘り動物の多いところは被害を恐れて開墾しない(同社)。かくて一旦開墾して耕作すればその土地はその家族の所有に歸するのであつて、耕地には賣買贈與といふことは行はれず、他家の休耕地で耕作し度い場合には豫め借りる旨斷つて耕作し收穫後その粟で酒を作つて持主に飮ませれば好い。四・五反程借りて粟二斗分の酒を飮ませればよい(テルサン社)。耕地の境界には木の根を立てたり、石の上に草を載せたりして目印とする。この境界を犯せば病死するといふ(同社)。ブヌン族の一戸並に一人平均の耕地(燒畑の場合には休耕地を含めてのものと現耕地と)は如何程であるかと言へば、總督府の調査に據れば第十表の如くである。他種族に比して水田が少く畑も定地畑は全く無く燒畑のみである。(註一)

家族所有の不動產としては耕地の他に宅地・住屋・薪小屋(下部を禽舍に利用することがある)、耕作小屋、簡單な豚舍・禽舍等がある。宅地を新しく設定するには荒地であれば何等問題は無く、他人の休耕地でも斷れば許される。唯酒を作つて飲ませれば良い。舊宅地は忌んでこゝには家を建てない。住屋は間口五・六間乃至十二・三間、奥行三・四間乃至五・六間のスレート葺の家が古い蕃社では普通であつて(寫眞(3)及び第二圖參照)、家を新築するには、建築の出來る一定の月(蕃では第二の月第十二の月、Buwan minpinaŋ, Buwan aloan,)に、親戚友人の手傳を得て、スレートを切り出し(十四・五日を要する)、地均し、屋根葺、壁作り等手分けをして築く。完成の曉には豚或は牛を殺し酒を出して其勞を犒ふ。

動産には一家共同に所有する家産と各小家族に屬するものと更に各個人の私用に供するものとの別があるが、後二者は融通性に富み同じ箱に納めて居るのであるから、これを私財として前の家産に對せしめることが出來る。今、如何なる種類の動産が所有されて居るかを知るために、蕃カトグラン社の Pajan Tanapima の家を實地調査した結果を第十一表に示して見る。家族員中 Lobe 並に同居人 Pajan が不在であつたので此小家族の動産を調べ得なかつたが他の小家族と大同小異である。この動産の所有狀態を見ても、個人にとつて最も身近い品物又は個人的勞役によつて獲た現金は個人の私有となり、而も小家族結合の

第十表

	總數			田					畑				
				面積			一戸當	一人當	面積	一戸當	一人當	本年中耕作	
	面積	一戸當	一人當	總數	兩期作	單期作						面積	一戸當
總數	125,638.677	5.312	0.864	8,565.805	7,505.511	1,060.294	0.362	0.059	117,072.872	4.950	0.806	37,881.258	1.681
タイヤル	34,730.298	4.815	1.011	986.195	670.160	316.035	0.137	0.029	33,744.103	4.678	0.983	10,064.435	1.395
サイセツト	1,272.649	5.194	0.922	107.749	99.362	8.387	0.440	0.078	1,164.900	4.755	0.844	373.760	1.073
ブヌン	21,959.355	11.204	1.206	289.257	132.743	156.514	0.148	0.016	21,670.098	11.056	1.190	7,367.413	3.761
ツオウ	1,640.314	6.383	0.740	100.058	25.200	74.858	0.389	0.045	1,540.256	5.993	0.695	576.218	2.287
パイワン	55,158.207	6.652	1.309	826.833	635.215	191.618	0.100	0.020	54,331.374	6.552	1.289	15,244.876	1.886
アミ	10,576.464	1.999	0.233	6,124.883	5,942.831	182.052	1.158	0.135	4,451.581	0.841	0.098	4.091.686	0.931
ヤミ	301.390	0.769	0.177	130.830	—	130.830	0.334	0.077	170.560	0.435	0.100	162.870	0.415

備考　單位は甲(0.978 町)　年度は昭和８年，パイワン中にはルカイ，パナパナヤンを含む。
臺灣總督府警務局　高砂族調査書　第二編　生活・506 及 554 頁に據る。

第十一表

私家財産

種類	品名		數量
家具	木の皮製の容器	Hikin	八
	皮製の物入れ	Tigapan	一
	物掛け	Salaqa	六
	カンテラ	Tsiqalan	一
	月桃製の敷物	Siðo	一四
被服類	皮の合羽	Qaşipan	六
	鹿の皮		一
	猿の皮		一
食事道具	粟炊爨用鐵鍋	ŋŋulun	一七
	瓢箪(杓子用、酒呑用)	Şeq	三〇
	釜(日本)		三
	眞鍮の鍋	Kanuho	四〇
	鍋・釜の蓋	Saʔdon	四
	辨當入(大・小	Tokuban	三
	藥罐	Akan	三
	木製匙	Takko	三〇
	酒濾用籠	Qaşişian	一
	茶碗	Balqo	五
	粟を混ぜる杓文字		
	大	Qailaso-daiŋŋað	三
	小	〃 teqeşi	六
	木製の舟形お菜入	Qato	七
	陶器	Kaijo	五
	粉入れ箱	Qato	四
	庖丁	Qanloqtas	五
	水甕	Amunu	五
	水桶	Qoŋŋo	三
農具・狩猟具・工作具	籠	Palaŋan	
	臼	Nuson	七
	杵	Qusao	一〇
	瓢箪(粟蒔用)	Binşeqan	一
	薪運び	Batakan	六
	箕	Kapon	七
	負網	Davað	四
	小鍬	Taŋa-natto	一〇
	山鍬	Taŋa-usuto	一七
	尖った山鍬	Taŋa-sudʒuq	一〇
	鎌	Kaul	九
	鎌(穂刈用)	Kaina	二
	小刀	Laus	一〇
	弓	Buşul-qatŋa	五
	矢	Qatŋa	一五
	山猫・猿の罠	Tauqotsi	二
	雉の罠	Haqo	一〇
	蕃刀	Via	一一
	織機		四
	綛掛		一
家畜	豚	Babo	六
	犬	Aso	八
現金	現金(警丁收入)		四〇圓
	この他、粟、豆その他の食料品、薪、石油等の燃料があるが數量不詳		

私財

パヤンの小家族

○夫妻共用		
着物入れの箱	Qato	二
〃 袋	Moqo	一
頭飾	Tinal	二
煙管	Kaunan	四
腕環	Buşutunan	一二
現金		二圓
○夫の被服類		
内地人着物		三
赤ネル裏着物		二
機織せる蕃衣		二
胸當(Kulin)模様入		二
〃 普通		三
胸に掛ける袋	Kulinhau	三
首飾	Tataklaşan	五
○妻の被服類		
不在中に就き不詳		
○息の被服類		
學生服		二
袖無胴着		二
蕃衣		二
胸當 模様入り		一
〃 普通		二
○家禽 鶏		三〇羽

イビの小家族

○夫妻共用		
着物入れの箱		一
胸飾		二
頭飾		二
腕環		八
現金(無し)		
○夫の被服類		
蕃衣・模様入り		四
〃 赤ネル		二
〃 模様ネル		二
普通の布		一
警丁服		二
外被		一
胸當 模様入り		二
〃 普通		一
胸に掛ける袋		一
帽子		二
脚絆		二
○妻の被服類		
上衣		六
袴(本島式)		二
スカート	Tunikilan	四
足當	Bulalai	一
頭布	Tamahon	一
○長男の被服類		
蕃衣		一
ネル衣		四
胸當・普通		二
○長女の被服類		
上衣		四
スカート		一
袴		二
○次女の被服類		
着物		七
○家禽 鶏		一〇羽

緊密さは私有物をも共用出來る品物は共用し他の品物に對しても共同所有と變らない狀態を示して居る。原始大家族生活の中にあつても小家族的結合の特質が所有の上に明瞭に現はれて居る。

財產の相續、分割に關しては普通次の樣な方法が採られて居る。家產(動產・不動產)はその一家を構成して居る者の共同所有であるから家長の死によつて何等の變化は無い。唯管理者の役が次の管理者(普通長子)に移るのみである。私財のみは子供に公平に分配される。但し、親子のみから成る家族で親の死後家を互に別にする場合には耕地を始め家產を等分する。家屋も棟木を長兄が取り他の材料は等分する。ブヌン族は男の養子或は養婿を絶對にしないから、繼ぐべき子供の無い時は財產は同姓の者が近い順にもらふのである。次に分戸の場合これは不和のため或は耕地が不足して他に移住しようとするとき起るが、このときは分れる一家が十分食つて行けるだけ(ランルン社の例では一家に四ビンシエク(1 binseq は一束の粟を播くだけの廣さ＝一反五畝—二反位、一束からの收穫は一〇〇—二〇〇束位)の耕地と農耕炊事に必要な道具及び粟等の食料品を分けてやる。他に移住しようとする樣な時には移るべき土地に畑を作り耕作をなし收穫があつてから移ることも多い。粟を始め食料品の分與も分戸するときに一度に分けるごともあれば收穫期まで毎日食事に來ることもある。

註一　總督府警務局　蕃地開發調査概要並高砂族要地調査表、第二、(三八―四四頁)參照。

(B) 生業

ブヌン族はその生活を狩獵と農耕によつて維持して居るが主力は農耕に注がれて居る。而も農耕は家族單位で營まれてゐるのであるから、家族機能の重要なものの一つとして農耕に就いて述べるところがなければならない。そこで其一例として丹蕃テルサン社のそれを略述し必要に應じて他部族にも及ぶこととする(寫眞(5)はロロナ社にて水稻植付をなす家族)。

農耕には先づ開墾地の選定が問題になる。休耕地にはタイワンハンノキを造林して置くからこの木が周圍一尺位になれば(休耕四年間位)再墾し得る。この他、山黃麻(ウラジロムク、蕃名 Lugus)の生えて居るところ、茅の大きく成長して居るところ、雜草がよく伸びて居るところが良いとして居る。尙蕃社によつては土の色で土地の良否を判定し、黑土は粟・甘諸・黍等に適し、赤土は陸稻・落花生に適して居るとするところもある。平坦地は腰をまげなければならないから苦痛であるとて傾斜地を好むが其傾斜度に就いては餘り問題にして居ない。傾斜の方向に就いても日蔭にならず風が強く當らなければどちらを向いて居ても好いといふ。開墾し耕作する面積はその家の働手の數によるものであつて、テルサン社の頭目 Vilian Manqoqo の家は大人は男五名女五名であるが同社に於て粟畑四枚甘諸畑三枚を作り粟千束甘諸を籠 Palajan に百杯收穫して居たと言ふ(粟の大人一人の一年の消費量は百束以内)。

開墾は先づ第十二の月 Buwan maviðoan (新暦十月)に伐採を始めて小木は倒し大木は根元を三尺幅に皮を剝いで早く枯らし枝打をなす。少し茅が生えた頃卽ち次の第一の月 Buwan monquman に火入れを行ふ。これは周圍から火をつけるのであつて、防火線として五間位の幅に草を刈つて置く。萬一隣の畑に火がついたら蕃刀・鍬・粟二斗位を與へる。併し隣の畑も火入れ豫定地のときには賠償しない。火入れは各家別々に勝手の日に行ふ。燃へ殘りは集めて再び燒く。大木はそのまゝ枯らして後に薪にする。次いで石及び根株の掘取りであるがこの時には手傳人を十五・六人から五・六十人賴んで一日で濟ませる。終れば牛を殺して食べさせる。その爲に豫め牛を買つて置く。彼等が言ふに、一社に三十人働手があり一戸三人づつとすれば一家三人で十日間かゝつて掘取りを行つても、三十人づつで各家の分を一日で濟ませて十日間で全部終へても社としては同じことであるが、皆で酒や肉を食べるのが樂みだからかやうな方法を採るのであると。掘り起した畑の石は積んで堦段式にして表土の流出を防ぐ。石の上には刈り取つた草等を載せる。第三の月 Buwan Pinagan から粟の播種を行ふのであつて一家の戸主が種子を蒔き他の全部が土を被せて行く。除草は第五、或は第六の月 Buwan quluan, Buwan panatuan に一回行ふのみである。收穫は第九の月 Buwan şo-daan に二十人位手傳人を賴んで行ふ。それには豚を殺し酒を飲ませる。以上粟に就いてのみ述べて來たが、他の作物をも栽培して居るのであつて後述の農事カレンダーにある通りであるが、こゝにブヌン族にあつて興味ある事實は農耕上の作業が祭祀と密接に結び付いて居て前者が後者によつて統制されて居ることである。而もブヌン族では月の盈虧と太陽の運行とから作り出した暦を所有して居て、司祭者がこれに合せて祭祀の日取を決定し以て農耕作業の統制を行つて居る。そこで二・三蕃社で行はれて居る暦とその月に行はれる祭祀或は作業

二　表

	丹蕃　テルサン社	郡蕃　トンポ社
	Monquman　粟畑開墾祭	Kauxoman　粟畑開墾祭
	Tuşţuşan-monquman　開墾	▲？Minpinaŋan　粟播種祭
	Pinaŋan　粟播種祭	Ugavan　粟播種
	Tuşţuşan-minpinaŋ　粟播種	Pantuşţuşan　同上
	Quluan　粟畑除草祭，粟發芽祭	Inxoḷan　粟發芽祭
	Panatuan　除草	Ḷapaşipaşan　粟畑除草祭，洗眼祭
	Malaqtaiŋaan　狩獵祭，子供祭，驅蟲祭	Paḷaxteŋan　狩獵祭
	Labunan	Şodaan　粟收穫祭
	Şodaan　粟收穫祭	Intoxtoxan（=Paşoxouḷuşan）子供祭
	Paşoqouluşan　子供祭，粟收穫祭	Andaðan　穀物收納祭
	Paqnan	Mixamişanan　粟生育祭，狩獵祭
	Maviðoan　首祭，里芋・稗收穫祭	Paşinapan　伐採

節と合しない時が出て來る。それを訂正する方法として，例へばカトグラン社では社の東方にあもの南端に行き着かない時には Buwan Pinaŋan を二つ重ねる。卽ち閏月を入れるのである。通

言つて居たが，イバホ社での調査から推しても Minpinaŋan の月が冬至に當る筈である。

第十

		巒蕃　カトグラン社	カニトアン社暦（註一）
第一月	Buwan-	Maqonean(=Işiqalivan-monquma)粟畑開墾祭	Işiqalivan-monqoma　粟畑開墾祭
第二月	（以下略）	▲Pinaŋan (=Minpinaŋ)　粟播種祭	Toştoş-monqoma　開墾
第三月		Tuştuşan minaŋ　粟播種	Minpinaŋ　粟播種祭
第四月		Alişupşupan　粟播種終了祭	Toştoş-minpinaŋ　粟播種終了祭，長子祭
第五月		Minqolau　粟畑除草祭，粟發芽祭	Minqolau　粟畑除草祭，粟發芽祭
第六月		Malaqtaiŋaan　狩獵祭	Toştoş-manəto　除草
第七月		Labunan	Palaqtaiŋaan　狩獵祭，首祭，子供祭
第八月		Işodaan　粟收穫祭，黍收穫祭	Dabunan
第九月		Paşoqouluşan　子供祭(首飾祭)，黍收穫祭	Minşouda　粟收穫祭
第十月		Andaðan　穀物貯藏祭	Paşuqoluşan　子供祭(首飾祭)，粟收穫祭，伐採祭
第十一月		Paviðoan　首祭，成年祭，狩獵祭，稗收穫祭	Paqonan　伐採
第十二月		Aloan	Paviðaoan　首祭，狩獵祭，里芋・稗收穫祭

備考　第一月はほゞ太陽暦の十一月に當る。ところが，この暦は月によつて數へて行くから，閏月を入れなければ季る山（Ludun Lavoan と呼ぶ）に朝日の出る位置を利用する。即ち Pinaŋan の月になつても未だ朝日がいつ常四年目に一度かゝる事があると言ふ。

郡蕃トンポ社に於ても社の東方の山の朝日の位置を利用する。調査の際の口述者は Pantuştuşan の月の如くを次に表の形で示すこととする(第十二表)。表に示されて居る各種の祭祀が行はれなければそれに關係を持つた作物の播種植付も收穫も行ふことは出來ない。樣々な禁忌を伴つた一聯の宗敎的儀禮が作物の成育增殖に非常に深い關係を持つて居る爲に同一祭祀集團に屬する成員例へば一蕃社が非常に規則的に農耕を行ふといふ結果になる。從つてまた氣溫・標高の影響を受け易い農耕が祭祀のために時期を失する恐れのある場合例へば移住した場合等には自ら祭祀集團の分裂を招くことになる。

次に、テルサン社に於て栽培される作物には如何なる種類のものがあり、の播種・植付及び收穫の月の種類を示したものは第十三表である。而して此等物の組合せ卽ち耕種式は次の樣になつて居る。

	一年目	二年目	三年目
(一)	粟、あかざ、玉蜀黍、小豆	捨てる(榛木を植ゑる)(休耕四年間位)	
(二)	粟、あかざ、甘藷、玉蜀黍、小豆	粟	捨てる(榛木を植ゑる・休耕四年間位)
(三)	甘藷、里芋	粟	捨てる(榛木を植ゑる・休耕四年間位)

以上農耕に關して略述して來たが、この他一家の食料品を得る方法としては

第十三表

テルサン社農事カレンダー			カネトアン駐在所の氣象(昭和十一年)					
			氣溫(平均)			降雨回數(降雨量不詳)		太陽曆
蕃人曆	播種又は植付その他	收穫	午前六時	正午	午後六時	午前十時	午後二時	
第三月	粟，あかざ，玉蜀黍，小豆，胡麻		華氏 48.48	58.96	52.68	1	1	一月
第四月	同上		49.83	57.21	53.38	9	8	二月
第五月	里芋，甘藷，粟畑除草	(10)甘藷の苗蔓	51.74	61.64	56.94	5	5	三月
第六月	落花生，玉蜀黍，粟畑除草		57.50	70.30	62.80	2	2	四月
第七月	甘藷，(陸稻＝移住後)		61.80	75.30	64.40	1	6	五月
第八月	綠豆		64.50	76.60	68.40	2	4	六月
第九月		(3)粟，(3)あかざ，(3)玉蜀黍，(3)胡麻	65.50	79.90	69.50	—	5	七月
第十月	甘藷	(5)甘藷，(6)落花生，(6)玉蜀黍，(8)綠豆	64.30	77.30	69.20	3	7	八月
第十一月	粟畑の伐採		63.00	76.90	67.90	4	—	九月
第十二月	粟畑の伐採	(3)小豆，(5)里芋，(陸稻)	57.90	73.80	63.90	—	2	十月
第一月	粟畑の開墾		53.10	69.90	60.20	—	—	十一月
第二月	粟畑の開墾		53.20	64.10	58.80	4	4	十二月

備考　蕃人曆と太陽曆とは完全に表の如く一致するわけではないから大體の氣溫を示したものである。收穫作物の肩の數字は播種又は植付の蕃人月を示す。

飼畜（豚・山羊、但し鶏は個人のもの）、天然物採集、狩獵漁撈等がある。(註二) 豚は増殖を計ることはなく仔豚を本島人から買ひ求めて大きくして祭その他のときに食用に供するのであつて、山羊は逃れられない様な崖地に放牧し、殺した場合には蕃社内の中氏族に分配する。天然物では主なるものとして擧げて居るのは菌類には椎茸・木耳他三種、果物には蜜柑・桃他三種、野生蔬菜には五種、外に蜜蜂の巣等がある。果物が未熟の際先占を示すにはその木の根元を葛で縛つて置けば他人は取らない。

次に勞働に關しては先づ男女間の分業が行はれて居るが、その中には他方にとつて全く禁忌になつて居るものと禁忌ではないが體格性格の上から比較的一方によつて行はれることの多いものとがある。

男子——狩獵・出草・伐採・籠作り（女子には禁忌）・臼作り（女子には禁忌）・土器作り（女子には禁忌）・樂器・織機・網・蕃刀の鞘の製作等。

女子——麻の採收（男子には禁忌）・絲紡ぎ（織布の絲は男子には禁忌併し網袋の絲は禁忌でない）・機織り・農耕（主として女子）・裁縫・刺繡・等。

男女——炊事・農耕・薪割・建築・水汲み等。

年齢による分業も特別には存在せず、手工的分業もこゝには關係が少いから觸れない。

協働の例は前述した樣に建築・開墾・收穫に際しての手傳ひ(註三)、數人による狩獵・農耕・粟搗等に見られる。

次に、一家は言ふまでもなく食事を共同にする(寫眞(6)はカトグラン社の或家で食事中の有樣を示す)。そして、彼等が普通どういふ方法で料理し如何樣な獻立になつて居るかに關して卓社蕃ラク社での調査結果を記して見よう。食事は一日二回であつて朝四時頃起床して畑に出て六時頃歸宅し六時―九時半の間に朝食をとる。午食は無く夕食を六時―七時の間にとるのである。粟が主食物であつて、これのみで濟ますことも、又粟と共に鹽を嘗めることも、或は粟に汁を副へることもある。汁の內容はそのとき〴〵に取れる豆や蔬菜や或は甘藷等を一・二種入れるのであつて、これ等の料理法は次の如くである。

粟―湯を沸かしてその中に搗いた粟を入れるが粳粟一に水四の割、糯粟ならば一に對して水三、粳と糯を混ぜれば一に對して水三の割にする。粟の量は一人につき兩手で抄つて一杯づつである。粟が軟くなり水がひけば食べるのであるが、時に、稗を碾臼で碾いて粉にしたものを粟と同量、水のひいた時に加へて食べることもある。
小豆―湯を沸かして小豆を入れ水が減れば水を加へ、小豆が軟くなつたら食べる。鹽を加へる者もあるが普通その儘である。
木豆―同右。
綠豆―同右。
竹筍―湯に入れて二・三回水を加へ軟くなつて食べる。
野生の蔬菜―湯に入れ、軟くなつたらその湯を捨て、新しい水を加へて食べる。
甘藷―水から煮て汁にして食べる。燒いもにもする。
菌類―湯に入れて煮て更に水と鹽を加へる。
唐辛子―煮て鹽を加へる。
肉類―祭或は宴會の時に食べるので普段は殆ど食べない。燻製にしたものを細切にして煮て食べることが多い。鹽は加へない。燒いて食べることもある。

尙肉類に關しては郡蕃(他部族にも共通する部分が多い樣である)では男子の青年及び少年には食べることの禁止されて居るもの或は箇所がある。卽ち燕―頭が惡くなり盲目になる、鳥類、鷄の頭―盲目になる、猪の頭、豚の頭―獲物がとれない、獸の脚―歩行が困難になる、豚の尾―狩に行つても他人に後れる、獸の氣管―鹿や豚や山豚(猪)は聲が小さいからこれを食べると聲が出なくなる。以上の理由から老人や女子には許されるが青少年には禁止されて居るのである。

註一　カニトアン社曆とは、同社の巒蕃の祭司家に傳はる繪曆(現在臺北帝大所藏)を指すもので、伊藤保氏の解説に掛るものである。これに關して同氏自身の説明並に理蕃課視學官橫尾廣輔氏の「ブヌン族の繪曆」(臺灣時報二二四號二二七號)及び馬淵東一氏「ブヌン族の祭と曆」(民族學研究第二卷第三號)とを利用した。

註二　狩獵は家族が單位になつて行ふのではなく、數人或は十數人の友人或は中氏族の成員が組を成して出掛けることが多い。併し家族の一員が出獵中はその家族殊に小家族の者は蜜柑を食べること(香のために獸が逃げる)、清掃すること(獸が逃げる)を禁忌として無事に且獲物を澤山持つて歸ることを祈つて居る。他の中氏族の狩獵場に行くときには必ずその中氏族の成員の少くとも一人の同行は求めなければならない。テルサン社で行はれて居る狩獵の方法並に肉の分配法は次の第十四表の如くである。

註三　手傳の場合、終了後酒食を供するが日當を出して手傳人を傭ふ例は無い。協働のことをカトグラン社に於ては、

家{ 少數の場合　Qalanaδ kalumaq
　 大勢の場合　manahiav kalumao

第十四表

對象	狩獵方法	分配法
猪	犬を以て追ひ出し、その逃路に數人少しづつ間隔を置いて待ち伏せして居て射殺する。	犬の持主―皮。始めに傷をつけた者―頭。最年長者――後脚一本。他の部分は公平に出獵者に分配する。各自持歸つてその中氏族(自社の)に公平に分配する。
鹿・山羊・羌	同右	犬の持主―皮、角、鹿鞭。(持主の多いときには追ひ出した犬の持主)。始めに傷をつけた者―頭(角を除く)。最年長者―後脚一本。他は右に同じ。
熊	人を見ると坐つて居るから、こちらを見た時に銃で打ち、打ち損じたら、或は、向ふから組付いて來たら、こちらも組付いて小蕃刀で心臓部を突き刺す。組付いて敵はなくなつたら友を呼び脇腹を突き刺してもらふ。普通はかやうに二人で殺すことが多い。熊を獲ることの許されて居るのは耳打祭後二箇月間、第一、第二の二箇月間位といふ。(郡蕃にて)	組付いて殺した者―頭、皮。打つて傷を負はせた者―皮。死んで居るのを見附けた者―頭。最年長者―後脚一本。他は第一項に同じ。
豹	犬は恐れて近付かないから、見た時に銃で打つ、逃げ出せば人は追附き得ない。	同右

畑（開墾）　manahiav muqoma

畑（粟刈）　manahiav ṣiðamaloq

と言ふ。

尚最後に高砂族調査書によりブヌン族の收支狀態（昭和八年）を示せば

收入

總額	一人當	農産	林産	畜産	獵獲	製作品	勞働及雇傭	雜
七八五、五五五圓	四三・八五圓	五〇九、九九一圓	一〇五、〇七二圓	三〇、四六六圓	五〇、七四七圓	一七、八三七圓	五七、九二八圓	一三、五一四圓

支出

總額	一人當	食料品	衣服及裝身具	農工具及種苗	家具及日用品	建物費	雜
七三五、六二二圓	四一・〇六圓	五五三、八三八圓	三六、二四九圓	一一、八六五圓	七二、六七二圓	二七、八七八圓	三三、一二〇圓

(2)　宗教及び教育

祭祀と經濟生活とが密接な關係を保つて居るのは何れの未開社會に於ても見られる事柄であるが、ブヌン族に於ては殊に著しい。そしてブヌン族の祭祀は首祭・狩獵祭・子供祭・成年祭を除いては殆どすべて農耕に關するものであつて作物

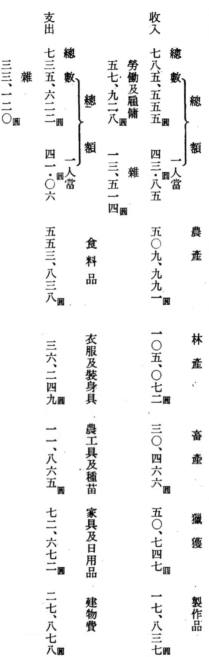

の出來の良否は經濟を共同にする家族に一番關係の深いものであるから、家族は祭祀の效果に對しては連帶的關係に立つて居る。從つて祭祀の日割を決定し行事を全體的に統制して居るのは司祭者であるが、行事及び禁忌に對して現實に一體としての意識を持つて居るのは家族である。この事は祭祀暦の上に明瞭に現はれて居る。前述のカニトアン社暦に出て居る祭祀日數は全部で五十九日であるがその中司祭者を中心に祭祀の行はれる日及び休養の日及び他家と往來する酒宴の日を除いた三十六日は或は各家の祭主によつて各〻別に祭祀が行はれ、或は家毎に祭祀の準備がなされ、一定の禁忌に服する等何れにしても家毎に一體となつて祭祀に關係する日數である。カトグラン社の祭祀暦(Ibi Iṣi-qaqabut の祭祀集團の分)の全祭祀日數は七十九日であるが其中四十九日は家毎に行事がなされる。數箇の小氏族又は中氏族が一團となつて準司祭者に代表されるといふ丹蕃に關してもハバアン社第一繪暦(前掲横尾氏「ブヌン族の繪暦」に據る)の祭祀日數七十二日中三十九日は各家毎の家祭である。行事或は禁忌の影響を直接に且連帶的に感ずるのは家族であるから以上は當然の事と言へるであらう。勿論、同一祭祀集團に屬する成員は司祭者を中心に祭祀をなし或は互に酒宴に招き合つて連帶感を強くして居り、且小氏族或は中氏族によつては非常に結合が強く家族的一體感に近いものを持つて居てこれらが一團として農耕儀禮をなす場合も少くはないが、やはり祭祀的結合にも種々の段階の存すること、從つて一祭祀集團の行ふ祭祀の中にも家祭的色彩のものの存することは否定し得ないところである。

カトグラン社に於ては各家で祭祀の爲に特別の家屋か若くは同一棟の中を壁で仕切つて室を作つて居る。これを祭の家 Lusʔanan (Takha) と呼んで居て此の中に祭祀に必要な品物を保存し且祭祀の行事を此の中でなす。(註一) 寫眞(7)は Pajan Ta-napima の祭場の外觀であり、寫眞(8)はその內部である。寫眞(9)は收穫せる粟に豚の肩甲骨で作つた祭具 Laqlaq を振り乍ら豐穰を祈りつゝあるものである。第四圖はパヤンの祭場內にある品物及び祭具と其位置を示すものであつて、(1)は Laqlaq その他の祭具を入れて持ち運ぶ麻袋、(2)は前述 Laqlaq (3)この家の祭主 (Pajan) が第九月 Buwan Pas̮oqoulus̮an の Laqlaq と稱する日に酒を作り殘りの粟を入れる容器、(4)第八月 Buwan is̮odaan に未熟の粟を採つて來て入れる籠、(5) Sulun は獨樂であつて第五月 Buwan minqolau に廻し、一年に一つづつ作つて行く、Taboil は楮の皮で作つた毬であつて獨樂を廻すときに上に投げ上げるといふ、(6)は瓢

箪であつて中に前年の祭田に出來た粟を藏し、第二月 Buwan minpinaŋ に祭田に

第四圖
祭祀用家屋

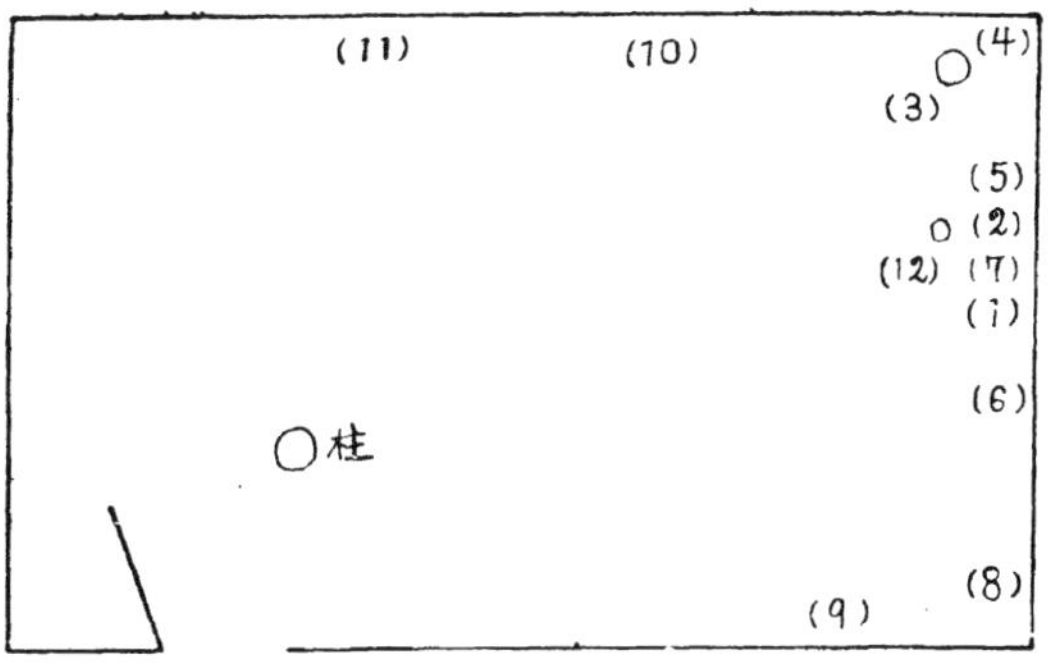

(1)	Hahe	1	(壁に)
(2)	Laqlaq	1	(壁に)
(3)	Tamoko	1	
(4)	Tokuban	1	
(5)	Sulun	10	(壁に)
	Taboil	10	
(6)	Tokotoko	1	(壁に)
(7)	Lakko		(壁に)
(12)	Nusun	1	

(8)—(11)は祭祀に關係なきもの

この粟を蒔く、(7)はムクロジの實で(6)と一緒に持つて行く、(12)は小さい臼であつて第八月に祭田の粟をとりに行く前に屋根に載せて暴風の無い様に祈り、更にこの中に前年の粟を少し入れて搗き Hahe (1)に移して祭田に持ち行く。(8)以下は祭祀に關係の無いものであつて(8)莫蓙用の草(9)絲掛・織機(10)柄杓(11)山豚の顎等である。祭祀の詳細に關しては前節(B)の註に擧げた諸論文を參照され度い。

敎育はすべて實際に當りながら注意を與へてゆく方法によるものであつて、家庭にあつても男の子は七・八歳になれば父親が狩獵に連れて行つて敎へ込み、

或は射法の如きも小鳥を射ることから手解きする。女の子は同じ頃から母親が畑へ連れて行き耕作の方法を教へる。且何事によらず子供は親の手助けをしつつ生業を覺え込んで行くのである(寫眞(10)は日乾しした粟の取入れをしつゝある母子)。家庭に於ては夜爐を圍みながら老人から傳說・口碑・蕃社の來歷・慣習・祭に就いての仕來り等を聞かされる。特殊な教育としては司祭者家に於て子供達に司祭者としての訓練を與へるのがあるのみである。勿論、教育は外部に於てもなされる。卽ち友人から或は社の長老から種々教へられる事は事實であるが、家庭生活を通じて而も親子の間柄を通じてなされる教育が子供にとつては最も影響が大きいものであることは否定し得ない。

(五) 結語

以上、ブヌン族の家族生活に關して述べて來たが、重要だと思はれる點を要約して見るならば、

(一)ブヌン族の家族は父系血族を中心とし往々同姓者を加へ而も父系血族も直

系のみならず傍系親を含むことの多い所謂大家族である。

(二)家族内に於て家長權の發達は極めて弱く、諸事、家族成員(大人)の合議によつて決定する。

(三)家族は同一家屋内に居住し、經濟を共同にし、宗教的儀禮の大部分に一體となつて參加し、强固な結合を保つて居る生活共同體である。此の家を共にする生活共同體であるといふ事がブヌン族自身の意識にあつても重要視され、氏族も此、家共同體の延長と考へられ、「家を一つにする者 Tasi-to-lumaq (lumax)」を以て家族・小氏族・中氏族のそれ〴〵を指示する言葉として居る。

(四)婚姻に關しても、現在或は過去に於て同一の家共同體に屬して居た者卽ち大氏族の間では婚姻は禁忌である。大氏族の成員は hulan (binsax) を共食する間柄の者であるが、此粟の共食は家共同生活の象徴的若くは宗教的表現に他ならない。母の中氏族の成員との婚姻禁止、同一中氏族の女子から生れた子供同志の婚姻禁止も母家を中心に共同意識を持つ者の間の婚姻を禁止せんとするものである。

(五)現實の家族生活によつて氏族結合が左右されることが多い。同じ小氏族の中にも親疎の別を生じ、遠い中氏族の者とも一家と變らない強い結合を生ずることがあり、或は母族の方に自己氏族よりも一層親密になることもあり、これ等が彼等の融通性に富んだ氏族關係の言葉の上に現はれて來るから氏族結合の實際は現實の家族生活の理解によつてのみ捉へることが出來る。

㈥家共同體として強固な結合をなして居る大家族の内部に夫婦親子の結合から成る小家族が決して排除さるることなく寧ろ核心的なる結合として存在して居る。小家族的結合は最も強い一體感に基いて成立して居るものであつて、寢室を異にし、私財を保有し、日常の勞働にも一致して當り、子女の教育には親自ら手を取つて教へるのが最も效果多しとなし、且普通、母族・姻族關係に於ても同居の他の小家族とは別個になつて居ることが多い。かやうに原始大家族の中にも家族本來の性質に基き、最も結合の強固な、最も強き內的一體感の上に成立する小家族的結合が存在して居ることは原始社會の理解の上に最も注意すべき事柄であると信ずる。

（一九三八・四・一三）

義について

今村完道

一 義と正我

まづ義の字義を考へてみよう。義の字は羊我より成るから義には我の意味があり、羊は善美の字となるから義には善美の意味がある。それ故義は我を善美にするをいふのであらう。或は善美なる我が義なのであらう。また墨子脩身篇の富則見レ義の義の字について、畢沅は字當レ作レ羛。説文云、墨翟書、義从レ弗。則漢時本如レ此。今書二義字一皆俗改也（經訓堂本墨子）といひ、弗について説文は撟とし、段玉裁は撟弗としてをる。その意味は私欲を撟拂して心を善美にするのであつて、これは義を心の上について説くのである。要するに義の字義からすれば義は内外に亙り我を善美にし宜くするをいふのである。

而して董子は春秋繁露に春秋之所レ治人與レ我也。所三以治二人與一我者、仁與レ義也。以レ仁安レ人、以レ義正レ我。故仁之爲レ言人也。義之爲レ言我也。……仁之法在レ愛レ人不レ在レ愛レ我。義之法在レ正レ我不レ在レ正レ人（仁義法篇）といふてをる。義を以て我を正しくするといふは、義といふ原則を以て我を正しくするのであるが、行爲的には我を正しくするが義である。彼はまた義者謂レ宜二在レ我者一。宜二在レ我者一而後可二以稱一レ義。故言レ義者合二我與一レ宜以爲二一言一(仁義法篇)といふてをるやうに我を宜くするが義である。義の字義や董子の言からいふと義の本義は我を善美にすること、宜くすること、正しくすることである。

我を正しくするについてまづ主觀的方面を考へてみると、孟子は羞惡之心、義之端也(公孫丑篇)といふてをる。羞惡の心は先天的に子供にもある心であつて、子供が父兄から叱られたときにキマリ惡く思ふ心である。この心が完全な義心になる萌芽であつて、これか發達して朱子かいふやうな己の不善を恥ち人の不善を惡む知恥の心になる。この羞惡・知恥の心か義の主觀的基礎てある。この恥を知る心は自ら一身の主人公なりとの自覺を有ち、己が我(ワレ)がと思ひ、わか面目を考へてをる。この恥を知るは自己の面目を思ふとともに、一身の主人公として當に爲すへきことを思ふ。孟子が心之官則思、思則得(告子篇)といふてをるやうに、自我は當爲を思ふて自ら内に反省し外權威に思慮し、内外の理の一致するところに具體的當爲を斷制するのである。その場合私欲を嬌拂して宜に合せしめるといふやうに、自我が個私勺名利に誘引せられて放逸し、孟子のいはゆる放心卽ち私欲となるとき、自我が覺醒し反省して私欲を非として克服する時に當爲の意識顯著であり、具體的に決定したる當爲には命令を伴ふてをる。かやうに義は自我意識か根本になる。董子が義は我也といふてをるやうに、義は己がといふ意識か根本になり、己か己の面目のためにするものである。また義は知恥の情　當爲の意識、思慮反省、當爲の斷制を要素とし、當爲によって我が我を正しくするのである。

而して一身の主人公たる自我は心身の個性を守り個性を主張して他と對立し、一個獨自の人間として立つ。孟子は一簞の食、一瓢の飲、之を得れば生き得ざれは死する危急の場合でも、嘑爾として之を與ふれば道行く人も受けず、蹴爾として之を與ふれは乞人も受くるを屑としない（告子篇）といふてをるが、さういふ自我の自尊は何人にもある。自我は貧賤を超越し毅然として自己の面目を維持せんとする崇高なる性質を有ってをる。孟子はまた人能く爾汝を受くる無きの實を充たせば往くところとして義たらさるなし（盡心篇）といふてをるやうに、義には自重自尊し、自己の人格を尊重し、従って權利主張の意味がある。彼は浩然の氣を説き、俯仰天地に恥ちさるを説いて、聖人之行不同也。或遠或近、或去或不レ去。歸レ潔二其身一而已（萬章篇）とし、有二大人者一正レ己而物正者也（盡心篇）として、自己を潔く正しく持することを説いた。彼の思想には個人としての自己の面目を重んじ、去就進退を苟もせず、自己を汚さず潔く正しくする方面が著しいが、自己の人格を尊重し面目を損しないといふことは我を正しくする所以であつて義である。然しわが人格を尊重し當然の權利は之を主張するといふことは、他の人と接するところに起るのである。人は社會生活を離れ得ず、個人は社會生活上の個人であるから、わが人格を尊重し權利を主張するは同時に他の人格を尊重し、他の權利を害しないものでなければならぬ。自己を主張すると同時に他の人格・權利を認めなければならぬ。孟子には天下に達尊三あり、その一を以てその二を慢するを得んやとし、諸侯の招きに應せざるところかあつて、自己人格尊重の過ぎたるを思はしむるものかある。また孔子當時社會生活を無視してたゞわが身を潔く保たんとしたものがあり、楊子の爲我説も社會生活を無視したものであつたが、欲レ絜二其身一而亂二大倫一（微子篇）は孔子も禁するところであつて、自己の人格・權利を尊重すると同時に關係する他のそれを尊重して、自他各その分を得るといふことが眞に個人としての我を正しくする所以であつて義である。

人間が社會的であることはいふまでもない。社會には天倫と人倫、或は天合と人合の別がある。天倫天合といふは天然の情にて結合する社會であり、人倫・人合といふは人爲的に結合する社會である。天然の情といふは同情・愛情卽ち惻隱の心・仁の心であり、理解であり信頼である。人爲的といふは意志の合致卽ち合意によるのである。意志社會といへどもその根本にお互の信頼がある。また理解同情が無ければ意志社會も鞏固たることは出來ない。かの仁は人也（中庸）といふのは、人は仁を本性として社會的存在であるといふ意味であつて、人間は元來生るゝと共に社會人なのである。われわれはかやうな天然社會の一員となり、また自ら意志社會を作り、その一員として生活するのである。要するに人は個人たると同時に社會人である。從つて個人として人格を尊重し權利を主張すると同時に社會人として他に對する我の義務を盡さなければならぬ。

而してわれわれは天倫人倫をなして他と關係結合するが、その關係結合する自他には差別があり立場が異る。關係する他の異るに從つてわが立場が異り、立場の異るに從つて當爲の本分が異つて來る。孟子には義之實從兄是也（離婁篇）といひ、敬長義也（盡心篇）といひ、中庸には義者宜也。尊賢爲大といふてをるやうに、自他の關係に於て長幼上下の立場の相違を明かにし、幼は長を敬し下は上を尊ひその本分を履行する。而してわが立場に課されたる本分を履行して我を鮮明にすることが、同時に他をして他たらしめ、自他各その分を得るのである。天倫人倫の統一のうちに自他の差別粲然として秩序がある。かくの如きが我を正しくするのであつて義である。

而して自他の立場の相違には賢不肖・能不能等の人格上の立場の相違と、君臣父子等の謂はゆる名分上の立場の相違とある。各個人の自我は自ら自己を尊とするけれども、現實には人々に人格上名分上尊卑の差別がある。而してその人格上の尊卑と名分上の尊卑は必ずしも一致しない。人格上の尊が必らずしも名分上の尊でない。然らば一致しないときにどうするかといふと、無論人格上の尊卑を正しくすることも義であつて之を重んずるけれども、より以上に名分を重んずるのである。人格上の尊卑を以て名分上の尊卑を亂さず、人格の尊卑の觀念を以て名分の觀念に勝たしめないのである。要は社會の秩序を成立推持するでなければ眞に我を正しくしたのでない。

服部宇之吉先生は義を説明して「人我の差別を立て、我か立脚地を正しくし、以て人我各〻其の分を得るにあり」（東洋倫理綱要）といふてをられるか、その意味は上述の如きものであらうと思はれる。人我の差別を立て我か立脚地を正しくするといふうちには個人として人格・權利を尊重することも、社會人として名分上の義務を盡すことも含まれるであらう。而して當爲の意思を以て我が立場を正しくすることが同時に他をして他たらしめ自他各その分を得る、自他の差別粲然として秩序ある社會をなす、それが義である。

董子が我を正しくすとか我を宜しくすとかいふのは、その精神は服部先生のいはるゝが如きであらう。而してこれがわか行爲の原則たる義であつて、古來義を種々に說明してをるけれども、それはこの義の或る方面を主としたものか、この義を別の方面から說明したものである。義を古來宜なりといふてをるが、それはこの義によつて我が宜くなることが根本であつて、我が宜くして他の宜は成立する。而して以上の說明は義を我が行爲の上で說明したのであるが、我を離れて義を一般的な客觀的原則として說明すれば、自他の差別明にして各その分を得るを義といふことが出來るてあらう。それを我に實にすれは自他の差別を明にして我か立場を正しくし自他その分を得ることになる。この意味の義については改めて述べる。

二　義と權威

孟子には義之實從兄是也といひ、また敬長義也といふてをるやうに、兄弟長幼の差別を明かにして幼弟が長兄を敬し長兄に從ふて自己の立場を正しくする、それが義である。人に現はるゝ義の初めである。兄に從ひ、長を敬し長幼の分を明かにする義から進んで義者宜也。尊賢爲大（中庸）に至り、更に廣く自己以上の權威・意志を敬するに至る。義は廣く自他の差別を明にして、自己の立場を正しくするのであるが、特に自己以上の權威との關係を明にして權威を敬するを主とするのである。而して自己以上の權威には色々あり、大小の段階がある。名分上の權威者もあり、人格上の權威者もある。兄も長も權威であるが、社會意志・國家意志・天子の命は大なる權威を有つ。古の聖賢・神佛道法も權威を以て我に臨む。これ等の權威と我との關係を明かにし之を敬するが義である。義は權威と關係するところが最も重大である。

而して權威は我を生かし我を敎へ導き、我に法則秩序を與ふるものであるから、權威に對しては自然に之を敬するところがある。羞惡の心は權威に對して恥つるのであり、權威を敬するのであり、權威と結びつく。たゞし自然の情にて權威を敬し、權威に結びつくは仁であつて義でない。義は權威の敬すべきを知り、當爲の意志を以て敬するのである。自我が自發的に當爲として、自ら命令し、自ら權威に從ふのである。義勇公に奉するは當爲の意志にて自然を殺して公なる權威に自己を捧げるのであつて、極めて嚴肅なるものである。古來義と呼はるゝ義士・義擧・義烈・義憤・義戰の如き、また義捐金・義熟・義學・義倉・義渡などは皆當爲の意志にて自己以上の大なる威權たる君國・社會に自己を捧けるのである。義父母・義手足の如きも自然を殺して大なる意志に自己を捧げるのであると思はれる。かやうに權威を敬し權威に自己を捧くるは、權威と一體となるのであつて、權威と一體となるところに不屈の氣象を生じ、人格の尊嚴を覺える。古來の忠臣義士と呼はるゝものは皆權威に歸一し、公の大なるものと一體となつて、不撓不屈であり、また自ら尊を覺えて逍遙たる境に入つてをる。かの個人人格の尊嚴といふことも、大なる權威と一體たるところに生ずる。權威は我に義務を命令するが、義務を履行するものをして權威者たらしめる。權威を敬しそれに從ふといふことは大なる我になることであり、それが眞に我を正しくする所以であつて最大の義である。義といへば權威を敬し權威に從ふことを意味する位、義は權威と密接な關係がある。

而して權威の中で具體的權威としては古來君國を最大の權威とし、義の中では君臣の義を義中の大義としてをる。そのわけは君臣の差別明かにして國家社會の秩序立ち、各その分を得ることが出來る。差別は君臣の差別より大なるはなく、自他各その分を得るは君臣の分より大なるものはない。君は政教の本源であることは古來說くところである。それ故五倫に於ては君臣の倫を首におき、また義は凡ての人倫に於て分を得しめる道德であるけれども、特に義を君臣にかけて君臣有義といふのである。而して君臣義有りといへば、君も臣に對して義あり、臣も君に對して義有り、義は相互的義務のやうであり、支那に於てはさう說くものもあるけれども、わが國古來の義の觀念に於ては君臣の義は臣の君に對する義である。また支那には君臣を人合とする說もあるけれども、わが國では君臣は天合であり、君は臣にとつては絕對であつて逃るべからさる關係である。また君は具體的權威者中の最大のもの、全體的のものであつて、たゞひたすらに君に奉仕するを古來わが國では義としてをる。儒教の君臣の義については服部先生か東洋倫理綱要に說いてをらるゝが故に此れ以上はこゝに略する。

前述の人我の差別を立て、我が立脚地を正しくする義の中では、君臣の差別を立て、臣たる立脚地を正しくするが最大の義である。而て義は我を正しく維持し保存するのであり、人格を尊重し、自我を實現するのであるが、君臣の義は君に對して自己を捧けるのであつて、一見矛盾してをるやうであるけれども、その實君に捧ぐるは自我が自發的に生命の本源に歸一するのであつて、眞に自我を實現し自己を保存する所以である。

三　義と宜

中庸に義者宜也と解してから、古來宜を以て義を解釋する。義を宜といへは最も包括的であるが、その基本的の宜は前述の我を宜くすることであると思ふ而して宜の内容を比較的委しく說明してをるのは荀子であり、また孟子に次で義を主んしたのも荀子であるから、荀子によつて宜や義が何てあるかを考へてみよう。

荀子は國家・社會の成立維持上、分の必要を認め、君道篇には「上賢は之を三公となし次賢は之を諸侯となし、下賢は之を士大夫となす」といひ、榮辱篇には志意脩を致し、德行厚きを致し、智慮明を致すものは天子となりて天下を治め、政令法あり、擧措時あり、聽斷公に、上は則ち能く天子の命に順ひ、下は則ち能く百姓を保つものは諸侯となりて國を治め……以下人物に相應して士大夫となり、官人百吏となり、庶人となるといふてをる。また「貴賤の等、長幼の差、智愚能不能の分あらしめ、皆人をしてその事を載(オコナ)ひて各その宜を得しむ」といひ儒效篇には「德を諭(ワカ)ちて位を定め、能を量りて官を授け、賢不肖をして皆その位を得、能不能をして皆その官を得、萬物をしてその宜を得て、事變をしてその應を得しむ……言必らす理に當り、事必らす務めに當る」といふてをる。つまり道德・才能・年齡・親疏・貴賤を比較し公平に差別して、それぞれ居るへき處に居らしめ、爲すべきことを爲さしめる。それか宜であるといふ。これは要するに差別明にして各その分を得るのである。また彼は穀祿の多少厚薄は行爲に相應せしめ（榮辱篇）凡て爵列官職慶賞刑罰は皆報てあり、類を以て相從ふ（禮論篇）といふ。報償を行爲に相應せしめるのであつて、これも差別明にして各その分を得るのである。かやうに差別明にして各その分を得るが宜であり、それを荀子は義と觀念してゐたと思はれる。彼は王制篇に「水火には氣有りて生無く、草木には生有りて知無く、禽獸には知有りて義無く、人には氣有り生有り知有り亦た且つ義あり。故に天下の貴たるなり。力、牛に若かず、走ること馬に若かず、而して牛馬用をなすは何ぞや。曰く人能く羣し、彼れは羣する能はさればなり。人何を以て能く羣す。曰く、分あれはなり。分何を以て能く行はる。曰く、義。故に義以て分とすれば則ち和し、和すれば則ち一、一なれは多力、多力なれば則ち彊し、彊ければ則ち物に勝つ」としてをる。義を以て分するといふ義は差別明にして各その分を得るを意味する義である。差別ありて各その分を得る義は何人も承認するところであるから、人間は義を有つといふのであり、この義を以て分すれば人は皆承認して、そこに羣居和一の國家が成立するといふのであつて、荀子の義は差別ありて各その分を得るを意味する。

彼は國家・社會生活に分の必要を說き、その分を具體的に委しく說いたのであつて、父子兄弟の如き天倫に於て分を明かにして幼は長に事へ賤は貴に事へ、長幼上下の分を成立せしめることを說いてをるが、彼は個人の行爲について不苟篇に「君子が人の德を崇び、人の美を揚げても諂諛ではない。正義直指、人の過失を擧けても毀疵ではない。己の光美を言ふて舜禹に擬し天地に參するとしても夸誕ではない。時と屈伸し柔從なること蒲葦の如くてあつても懾怯ではない。剛彊猛毅、信ひさるところなくても驕暴ではない。それは義を以て變通し、知、曲直に當るが故である。詩に曰ふ、之を左し之を左す、君子之を宜しうす。之を右し之を右す、君子之を有すとは、君子は能く義を以て屈伸變應するをいふ」としてをる。つまり事實を事實とし、そのものゝ特色差別を明かにすること、時に從つて變應することは義を以てするのであり、それが宜しうするのであるといふ。その變應について「君子は行ひ苟も難きを貴はず。說、苟も察なるを貴はす。名、苟も傳はるを貴はず。唯その當るを之れ貴しとなす」といひ、かの「盜跖はその名高きも君子貴はさるは、禮義の中にあらされはなり」といふてをつて、言行が時處位に當るやうに、禮義の中を得るやうに變應するのである。

脩身篇には「君子は貧窮なるも仁を隆ひて志廣く、富貴なるも勢を殺いて體恭し。……怒るも過奪せず喜ぶも過與せず、法、私に勝てばなり。書に曰ふ、好をなすあるなく、王の道に遵ふ。惡をなすあるなく、王の路に遵ふと。此は君子は能く公義を以て私欲に勝つをいふなり」といふてをる。これも中を得ることであつて、それは公義を以て私欲に勝つのであるといふ。要するに一般に承認される公義を以て應變すれば言行は當るのであり中を得るのであり宜を得るのであつて、その義も結局差別明にして自他各その分を得るをいふのである。人の美を揚ぐるは、差別してその分を得しめるのであり、己の光美をいふは己の分を得るのである。時と屈伸するは事情を差別し自他その分を得るためである。この義を以てすれば言行の難きを貴はず、名の高きを貴はず、時處位に當り中を得て自らその處を得る。過與せず過奪せず人をしてその處を得しめる。

而してかくの如くその處を得しめ、その事を行はしむるが羣居和一の道であつて、この羣道を誤らすは皆その宜を得て六畜はその長を得、羣生はその命を得る(王制篇)といひ、それを至平といふてをる。彼はこの和一至平の國家を理想としたのである。即ち個々の國民がそれぞれその處を得、その間に均衡ありて滿足し、各〻爲すべきことを爲すところに成立する全體として調和統一ある國家を理想とした。至平といふは、それぞそ異つた立場にあり、異つた事を爲しながら全體として和一し平穩なるをいふ。この和一至平は古來政治の理想とするところである。かの大學には齊家治國平天下を說く。治といふのも水が居るべき處を得て爲すべきことをなすをいひ、齊も維齊非齊、異つた立場を正しくするところに成立する齊一である。この齊治平が家國天下の理想であり、それが宜であり義である。かの禮記の禮也者義之實也。協諸義而協則禮雖先王未之有、可以義起也。（禮運篇）といふ義はこの義である。卽ち禮は社會的な禮儀作法より國家の法律制度に至るまで、秩序を維持する所以のものであるが、その禮はこの義を實體化したものであつて、義に叶はゞ新禮を制定しても可い。古來宜といふは大要荀子のいふが如きものであらう。而てその宜が義であつて、それは結局差別明にして各その分を得るをいふのである。個人の行爲としては時處位に應じてわが立場を正しくし中を得るが義である。

なほ朱子も義理を重んじた。朱子は義を心之制、事之宜（梁惠王篇注）と解釋してをる。この解釋の外に義を單に宜也（顏淵篇）事之宜也（學而篇）天理之所宜（里仁篇）人道之所宜（雍也篇）

制㆑事之本（衛靈公篇）などと解釋してをるが、この解釋は仁を心之德、愛之理と解釋せるに對したものであつて、最も重んぜられてをる。陳北溪も義就㆓心上㆒論、則是心裁制決斷處。宜字乃裁斷後字。裁斷當㆑理然後得㆑宜（北溪字義）といふてをるから、朱子の定義をば、心で裁制斷決して實行し、事の宜を得るを義といふとみて、その大意を得たものと思はれる。然し心之制、事之宜といふ言葉の裏面には、心に裁制斷決する理、事の宜を得る作用をなす理があるといふことを含んでをるのである。卽ち制の理、宜の理が本體として心にあつて、それが裁制斷決し宜き作用をなす。その本體として心にある理が義と呼ばるゝ理である。その義について朱子は義之在㆑心如㆓利刄㆒然。物來觸㆑之便成㆓兩片㆒。若可否不㆑能㆓剖判㆒、便是此心頑鈍無義了。如有㆓一人㆒邀㆑我同出去。便須㆑能㆓剖㆒判當㆑出不㆑當㆑出。若要㆑出、又要㆑不㆑出、於㆑中遲疑不㆑能㆓決斷㆒、更何義之有（北溪字義引之）といふやうに、心中にある義は利刄の如くに可を可とし否を否として當爲を斷制するのである。義が作用するときは自他を分け是非可否を分けて當爲を斷制するから、有㆓差別㆒底是義とか當㆑做底是義ともいふてをる。

而して事之宜について語類には事之宜是就㆓千條萬緒各有㆑所㆑宜處㆒說といひ、まだ事之宜方是指那事物當然之理。未說到處置合宜處也といふてをる。事之宜とは事を宜くする行爲についていふのでなくて、事物の當に然るべき理を指していふ。吾々は他と關係して生活するが、その自他の關係といふ事を成立せしめる當然の理が、その事の宜である。その自他の關係といふ事は、他の異るに從つてその性質が異つて來るから、事の宜も千條萬緒である。之を物についていへば個人とか家とか社會とか國家とかいふ物を成立せしめる當然の理がその物の宜であり、物の異るに從つて物の宜も異る。而して朱子は揚雄や韓愈を批評して、揚雄言、義以宜之。韓愈言、行而宜之之謂義。若只以義爲宜則義有在外意（近思錄卷一）といふてをつて、之を宜くするを義といふては、事物にある宜に從ふやうで義が外にある意味を有つ。それを不可として朱子は程子の在物爲理、處物爲義の語に贊し、須如程子言。處物爲義、則是處物者在心非外也（近思錄卷一）といふのである。事物にあるは理であつて事物を處置して當然の理を實現し事の宜を實現するものが心にある。それが義である。即ち當然の理、事の宜を見つけるのはわが心であり、それを實現するのも我が實現するのであるから、わが心を離れて當然の理も事の宜もない。當然の理、事の宜を生み出すともいふべき根本の理が心にあり、それが義であるから義は心の内にあり、因時制宜皆由中出也（告子上篇注）といふのである。朱子はかやうに内を主んずるが、その内なる義の理は自他を差別してわが立場を正しくするのであり、また差別明にして各その分を得る理を見つけて實行するのである。

義の内外は孟子以來論ぜられ、儒教は義内の說であるが、然し義には外の意味がある。孟子も仁義は外より我を鑠するにあらず、わが内より發すとしながら、義人之正路也（離婁篇）といひ、義、路也（萬章篇）といふのは、義は外にありて人の步む道とみたものである。詩書、義之府也（左傳僖公廿七）といひ、論語の見義不爲無勇也（爲政篇）といひ、荀子の以義制事（君子篇）といひ、禮義の義の如きは、義を外に見てをる。また自己以上の大なる意志・權威を敬し權威に歸一するを義とする點からも義は外に在る。義をば差別明にして各その分を得るをいふとし、客觀的規範と觀れば外にある。然しそれを義とするは心であり、心が具體的義を生み出し義を行ふ點からは義は内にある。儒教は實踐を主んずるから義を内とし朱子は特に内を力說した。外にある義は考へられ眺められる義であるが、内にある義は生きて動く義である。

なほわが仁齋は義を解釋して爲其所當爲而不爲其所不當爲之謂義（語孟字義）としてある。矢張り義を實踐的に說明したのであつて、實踐的義に最も肝要なるは當爲の意志である。仁齋はそこをとらへてをつて、力の有る說明であるけれども、實踐原理としては明確を欠く憾がある。

四　義と道理

道の本義は道路であつて、道路は何人も通行せざるを得ない。小徑は通行せざることとあるも、道は貧富貴賤の別なく通行せざるべからざるものであり、また通行し得るものである。前述の服部先生のいはるゝ義も、また差別的かにして各その分を得る意味の義も、凡ての人の由つて步むべき道であり、步み得る道である。人が步むといふ方面から觀れば、義は道であるが、道を當爲の義務と觀れば義になる。道といひ義といふは觀方の相違である。孔子が「富與貴、是人之所欲也。不以其道得之、不處也（里仁篇）といひ、また不義而富且貴、於我如浮雲（述而篇）といふ道と義も、觀方の相違に過ぎない。孟子が浩然の氣は義と道とに配すといひ、また非㆓其義㆒也、非㆓其道㆒也。祿㆑之以㆓天下㆒弗㆑顧也（萬章篇）といふ義と道も觀方の相違である。されば荀子も道と義を併せて道義（脩身篇）といひ、禮記には道者義也（表記）といふ。義を道と同義語に用ふるのである。

然し義と道と比較すると義には當爲の意味が强い。朱子は義と道との相違について、義者人心之裁制、道者天理之自然（公孫丑篇注）といひ、また義人道之所㆑宜（雍也篇注）といふてをる。道は天理の自然に存在するものであるが、義は人心の裁制であつて、人心で裁制して當爲と觀念したものである。人道は天理の自然に存在してをるが、それを吾々がそれぞれの境に於て宜しく履行すべしと觀念すれば義になる。つまり道は天理の自然に存在し、いかなる境地、いかなる事物にも道無きはないが、その道をそれぞれの境地に於て人心で裁制斷決して當爲となつた道が義である。從つて朱子は道義是個體用。道是就㆓大綱㆒說、義是就㆓一事上㆒說。道是道中之細分別（近思錄卷二）といふ。道は包括的な概念であるが、義は一事一事に接するとき、心で裁制するところに現はれて來るのであるから、一事上について說くのであり、道がそれぞれの場合に義として現はれて來るといふ意味に於て、道と義とは體用の關係にあるといふのである。徂徠も、義者道之分也。千差萬別、各有レ所レ宜、故曰、義者宜也（辨名）といひ、淡窓も以二裁制一謂二之義一、以二履行一謂二之道一（義府）といひ、義者隨時之義。道者一定之道（讀孟子）といふてをる。かやうに義と道を比較すると、人心の裁制を經た道が義であつて、道よりも義には當爲の意味が强い。單に道といふのでは凡ての人に共通のものであつて我に切實でないが、義といへば、我れが裁制し當爲と意識するのであるから切實である。それ故道といふだけでは物足りない、義といはなければ我が事にならぬから、道と義とも併せて道義といふのである。

理は玉の筋である。木理は木の木目であり、肌理は肌の筋である。玉は筋によつて成立し、玉たる美を呈する。それから廣く事物に在りて、その事物を成立せしめる條理・法則を理といふのであるが、その理をば事物を成立せしめるための當爲と觀念すれば義になる。義は事物當然之理であるといふ。從つて義と理は合して義理といひ理義といふ。孟子は心之所二同欲一者何也。謂理也義也といひ、理義之悅二我心一、猶二芻泰之悅一二我心一（告子篇）といふ。荀子も義、理也（大略篇）といひ、禮記には理者義也（喪服四制）といひ、義理、禮之文也（禮器）といふ。理と義の關係も、道と義との關係と同じである。朱子は義者天理之所レ宜（里仁篇注）といひ、また義者宜也、乃天理之當行（程子語。朱子引之）といふてをる。而して朱子は義は内にあり、道は外にある。理も物に在るといふ方面からは外にある。なほ國語では義をコトワリと訓じた。舊事本紀巻六の是豐玉姫命、聞其兒端正、心甚憐重、欲復歸養。於義不可。故遣女弟玉依姫命以來養者矣の義や、書紀巻三の夫大人立制、義必隨時。苟有利民、何妨聖造といふ義はコトワリといふ國語に當てたのである。また理をコトワリと訓ずる。コトワリとは言葉でも仕事でも、そのコトを成立せしめるものと然らざるものとを分け割つて、そのコトを成立せしめる筋道がコトワリであらう。義にも分け割る意味がある。事の是非可否を分ける、宜しきと宜しからざるとを分け、裁制斷割するのが義であり、裁斷したる具體的當爲は事物を成立せしめるのであるから、コトワリに當るのである。理は玉の筋道であり、玉を細工するときは玉の筋に循つて必要の部分と不必要の部分とを分割する、理にも分け割る意味があるから、コトワリと訓するのである。

以上義の要點と思はるゝ點について略説したのであるが、義は決して簡單でなく、なほ幾多の考ふべき問題がある。仁と義の關係については、仁は自然であり義は當然であり、仁は自他を平等に觀、義は自他を差別し、仁は人を目的として他の福祉の増進に盡すのであり、義は自己を目的として我を正しくするのであるが、その關係については更に深く考へなければならぬ問題があり、また敬と義、禮と義、義と命などの關係についても考へなければならぬ。こゝにはたゞ一端を述べてみたに過ぎない。

行爲現象學の一般的理念

——プログラム的一試論として——

岡野留次郎

此小論は、本年一月二十八日金曜會(學內有志研究會)第十回例會に於て講演した原稿を、稍形式の整つたものに書改めたものであるが、本來未定稿であり、研究論文として客觀的價値を問ひ得る程のものでない。只今後の自己の研究の進路を示す覺書として、一應公にすることとした。幸に讀者の批判と叱正を得ば著者の望外の喜である。

(一三・五・三)

一

哲學が事態に卽した具體性を失はない爲には、最も具體的な人間存在の基礎體驗に基かなければならない。人間存在の本質は種々の立脚地から種々に見られるであらうが、これを最も具體的且つ全體的に見る立場は、人間存在を歷史的社會的現實に於ける行爲の主體として把握するものでなければならぬ。しかし此事は人間を心身の統一體と見、精神物理的主體として見ることを意味するのではない。かやうな見方は、既に人間存在を肉體と精神の兩者に分析し、後其統一體として見る立脚地であつて、存在的客體的な見方を全然脫却したものではない。かやうな見方に對しては、先づ精神とは何か、肉體とは何か、兩者の統一とは何か、それは如何なる關係の仕方であるかゞ、哲學的に問はれなければならないであらう。更に所謂精神的なる存在領域に、心的(seelisch)なるものと、精神的(geistig)なるものとを區別することも亦不可能ではない。そして人間の人格的存在、卽人間が他の非人間的存在と區別せられ得る本質を、精神的存在の領域に求めようとする存在論の立場や、或はかやうな人格的存在に對立して、物理的・生命的・心的なる存在領域に橫はる土・血・性等を、人間の具體的存在を規定する本質的契機と看做す存在論の立場も、凡べて存在的に志向せるものとして、其基礎に既に存在論的な問題解決を豫想するものでなければならぬ。夫故、人間を歷史的社會的現實に於ける行爲的主體として見る存在論と云つても、それは何等か無批判的乃至獨斷的に、超經驗的な存在を假定し、そこから思索を出發せしめようと云ふのではなく、却つて我々の最も具體的な直接的な體驗に卽して、人間存在の具體的存在を會得し、且つ概念的に明瞭に認識せんとするものである。

併し、かく云へば直に行爲的體驗とは何であるか。更にまた體驗が認識されるとは如何にしてであるかゞ問はれ得るであらう。我々はこゝに方法論的な問題を深く論ずる暇を持たないが、哲學に於ける方法の可能性及妥當性は、本來哲學的認識の具體的遂行及其成果の可能性及妥當性によつて初めて具體的に立證せられるものであるから、單に抽象的に論ずるよりは、寧ろ存在論的認識が如何なる根源より、如何なる過程を經て自己自らを構成し行くかを、具體的に事態に卽して開展することによつて、却つて根本的に解決せられ得るとも考へられるであらう。只行爲とは本來絕對超越の立場であり、從つてこれを單純に非論理的なものとして直接的に定立すべきものでなく、悟性的論理的なるものと、之に對立する非論理的なるものとの絕對媒介の論理によつてのみ明にせらるべきものであるとの主張に對しては、我々のこゝに行爲的體驗と呼ぶところのものは、悟性的論理的なものに對して單純に定立された直接的なものでなく、――若しそうならば、悟性的論理的なるものすらも、そこから導き出されることが不可能であらう――悟性的にもせよ、理性的にもせよ、總じてロゴス的なるものを、自己の本質的なる一樣相として內含し得る基礎體驗である。尤も、單に情意的なるものによつてのみ存在の實相は把握し得べく、ロゴス的なるものは單にそれの悟性的反省として表面的把握乃至解釋に過ぎないと見る立場は、ロゴス的なるものの、存在把握に對する無力性を不當に高調するものとして、哲學的認識の客觀的妥當性を危からしむるものとも考へ得るであらうが、それと同時に假令理性的にもせよ、ロゴス的なるものによつては存在の全面を蔽ひ得ないと見ることとは、存在のエトス的・パトス的なる側面を、その本來性に於て許容する適正なる態度でなければならぬ。固より所謂絶對辨證法的論理に於ては、非論理的なるものを單純に揚棄するのではない。却つて之を自己に否定的に對立するものとして、其本然の性格に於てこれを許容しつゝ、自己の中に止揚せんとするものである。併し乍ら、單なる悟性的論理に否定的に對立する非論理的なるものが、絶對辨證法的なる論理に對しても尚否定的に對立するものたり得るであらうか。若し又其絶對辨證法的論理の中に自己を止揚し融解するものとすれば、尚且つ其非論理的なるものが自己の本然の性格に於てあることが許され得るであらうか。所詮絶對辨證法的論理は、悟性的論理に否定的に對立する非論理的なるものを、單に對立的なものとして拒斥するのではなく、却つて否定的に對立せるものとして、自己に包容し得る論理と考へ得るであらうが、併し單に悟性的に非論理的なものに止まらず、一般にロゴス的なるものに對立する非論理的なものをも自己に否定的に對立せしめると云ふことに於て、却つてこれを包容し得ると考へるのであるならば、——そして其處にこそ絶對辨證法的論理の特性を見るべきであるならば——結局その非論理的なものは、一般に論理的なるものによつて、否定的對立者として要求されるものと見るか、でなければ、否定的に對立することによつて、その非論理的なものの對立的積極性を全的に承認することによつて、却つて絶對媒介乃至絶對的自己否定の論理として、論理自體が非論理的なるものと辨證法的に結付かむとするものと見なければならない。併し、論理自體が非論理的なるものと辨證法的に結付くと云ふことは、如何にして可能であらうか。それこそ絶對辨證法的論理によつて可能となるのではないか。しかし、非論理的なものが、自己を非論理的なものとして論理的に確立する爲には、辨證法的論理の根據に立たねばならないと云ひ得るであらうが、それによつて非論理的なものが、單なる要求された論理的直接性でなく、其存在論的な内容的事象性をも、論理的なものから導き出し得ることを意味するのではあり得ない。さすれば兩者の存在論的な辨證法的な綜合統一は、所謂絶對辨證法的論理を可能ならしめ、それをロゴス的側面として内含する行爲的現實そのものでなければならぬ。何者行爲的現實そのものこそ論理的なるものと非論理的なるものを絶對否定性の根據に於て、兩者の否定的對立を止揚し綜合し得るものであるからである。行爲的現實は單純に非論理的なものではない。もしそうであるならば、どうして行爲的現實を、總じて論理的に解明しようとする哲學的努力が可能であらう。しかし又これを單純に論理的と見ることも許し難い。もしそうであるならば、總じて非論理的なるものを定立することは、論理によつて要求された論理的直接性と云ふ以外に凡そ意味がないであらう。それ故に、行爲的現實を其論理的な內面的構造に從つて哲學的に明にすることと、その行爲的現實そのものに於て生きることとは、直に同一ではない。固より前者を離れて後者がある譯ではない。けれども後者には前者より etwas mehr を含むのである。この etwas mehr が、宗教をして哲學から區別される獨得な領域――しかも、互に行爲的現實に等しく足を下してゐることによつて相倶通する共通な領域――を持たしめる理由なのである。それ故、行爲的現實が行爲的に體驗されると云つても、解釋學的分析の基礎事態が先づ了解的に與へられ、後論理的に反省されると云ふが如き關係に於て、云はゞ先存在論的 (vorontologisch) に與へられると云ふのではなく、却つて論理を徹し、非論理を徹した、絕對否定性の根據に於て體得せられると云ふ意味でなければならない。従つてかくの如き行爲的體驗は、單純に非論理的情意的體驗を意味するものでないと同樣に、辨證法的にもせよ、單純に論理的な内面的構造に、其内實の凡てを歸する譯にはいかない。只歷史的社會的現實に於ける行爲的主體たる人間存在が、自ら行爲的辨證法的超越を遂行することによつてのみ次第に明に把握され、從つて又存在論理的概念に於ても哲學的に表現し得るところの、人間存在に根本的に巢喰ふ形而上學的事態なのである。哲學が「事態そのものへの要求を滿足せしめる爲には、正しくかゝる根本事態に迫らねばならないであらう。

二

併し、かやうな云はゞ行爲的な存在論的な體驗が人間存在に根源的な出來事であると云ふことと、それが常に明確に自覺的に意識され認識されて居ることとは同一ではない。否却つて多くの場合、蔽はれ隱されて居るのを常とする。夫故にこそこれを明な自覺に持來す爲には、人間の全存在を擧げた努力的な辨證法的超越が必要とせられるのである。人間は眞理の內に在ると共に、必然的に又非眞理の內に在ると云はれるのは此爲である。換言すれば、人は存在論的な超越の領域に於て生きるよりは、先づ存在的實證的な世界に於て、自己の存在を意識する。彼は一定の歷史的社會的環境の中に在て、經濟的・政治的・法律的・道德的・宗教的等々と特色づけらるべき仕方に於て、感觸し、表象し、理解し、判斷し、情感し、欲望し、意志し、總じて實證的と呼ばるべき仕方に於て、社會的環境內に於ける種々の存在者と相會ひ、これに對し、種々の仕方に於て態度を取ることが出來る。

卽人間に直接與へられた事實的狀態に於ては、彼は一定の歷史的社會的現實の中に生れ、精神物理的統一的個體として、自然的並に社會的環境に於て、これに對して一定の存在的な關係に於て相聯關し、一定の有限的な存在を保つて再びこの歷史的社會的環境に於て生を終るものであり、此際自然的並に社會的なる環境に對する存在的聯關を、歷史的社會的行爲の主體としての人間の存在的體驗として總括し得るならば、かやうな體驗は人間の具體的存在に於て缺き得ない必然的契機であることを思料して、存在論的なる超越の領域への辨證法的超越は、かゝる存在體驗よりのそれとして、意識的自覺的な努力を必要とすると同時に、此超越は單に一定の表象の仕方を變革し、或は一時的に中止して他の認識態度に移行するが如きことによつてゞはなく、存在體驗を否定的に媒介とする辨證法的超越によつて、一歩一歩存在論的體驗の領域に於て、自らの歩みを深めゆかねばならない。行爲現象學の課題は、かゝる超越を歴史的社會的現實に卽して遂行し、具體的なる現實存在の內面的構造を、超越の歴史的發展の有ゆる段階に應じて敍述し解明しようとするにある。其際、こゝに所謂存在體驗の具體的內容を構成する歴史的社會的現實の實證的事實は、出來得る限り廣汎且つ深刻に顧みられなければならない。固より個々の具體的內容を、事實的な聯關に從つて新しく發見し、確立し、事實的關聯を內容的範圍に於て深め擴めることは、個々の實證的社會科學の任務とすべきであるが、それ等の一般的な成果と一般的な聯關とは、存在論的超越遂行の礎石として常に顧慮せらるべきである。否眞の哲學的形而上學的超越は、かくの如き事實的存在的領域よりの超越としてのみ、その眞實の意味を保持すべきである。存在論的體驗は夫自體超越的のものとして、存在的體驗と否定的に對立する。にも拘らず、兩者は具體的なる人間存在の根本的なる在り方の中に統一せられる。人間は歴史的社會的行爲の主體として、それ自體本來辨證法的存在なのである。

夫故に、人間を歴史的社會的現實に於ける行爲の主體として把握することは、存在的には、人間が歴史的社會的環境に於て、存在的體驗の主體として事實的實證的に存在聯關に於て立つことを意味すると同時に、それが存在論的超越の可能性を有つ存在として、現實的には何等かの程度に於てこれを遂行しつゝある存在として、これを具體的且全面的に把握することを意味するのである。併し行爲と云へば普通意志行爲を意味し、從つて單に感覺し表象し乃至情感する作用とは一應區別せらるべきであると考へられる。固より心理的に云つて之等の區別を無視することは許さるべきではないが、こゝでは存在論的な意味に於て行爲を理解せんとする。行爲とは、一般に、具體的な人間の歴史的社會的現實に於ける存在的及存在論的な聯關を指す。固より人間を行爲的主體と看做すと云ふ見解の中には、人間の具體的な存在を個性的人格的存在と見、意志的體驗を存在及存在論的體驗の樞軸と看做さうとする思想が暗示されて居ることを拒む積りはないが、併し乍らこれによつて直に我々がこの意志的存在體驗に外界の實在性を基けようとする立場を支持するものと速斷するならば、それは誤解である。哲學は飽く迄も、存在論的超越の領域を明確に把握しなければならない。行爲現象學は、行爲の主體としての人間の具體的存在を、個體的な人格的存在自らに於ける行爲的辨證法的超越遂行を手係りとして、一般に歴史的社會的なる人間の現實存在に本質的な存在論的體驗の可能性に從ひ、その歴史的社會的發展の種々の段階に應じて、云はゞ純粹行爲とも呼ぶべき辨證法的超越の領域を、その一般的な内面的構造、並に特殊的なる種々の變容形態に至る迄、能ふべくんば詳細且つ鮮明に展開し行かうとするものである。此際、我々の哲學的思索を導きゆくべき指導的理念は、人間の具體的存在を、常に歴史的社會的現實に卽して理解することであり、從つて歴史的社會的な存在事實が、出來得る限り廣汎に、顧みられなければならぬと云ふことである。固より存在論は、飽く迄、存在論的超越の領域に於て動くものであり、存在的な事實が事實として直に取り上げらるべきではない。此意味に於て、存在事實的なるものを、かかるものの領域に於て取上げ、此領域を離れずして、しかも哲學的に取扱はんとし、しかも事實的實證的科學の成果やその法則を、事實的に批判することによつて、遂に形而上學的な成果に到達しようとする凡べての哲學は、存在的に志向せるものとして排せらるべきである。にも拘らず、出來得る限り廣汎な歴史的社會的實證事實が、哲學的超越の遂行せらるべき礎石として常に顧慮せられ、一般的普遍的な思索過程の背後に常に横はつて居るとのことは、哲學の具體性を保持する上に極めて須要なのである。これ蓋し、人間の具體的な存在が、存在的且存在論的として把握せらるべきだからである。存在論的な體驗が、それ自體超超の領域に屬するに拘らず、存在的な體驗と密接不離な聯關に於てあるが爲である。此事を輕視することによつて、具體的な存在論的體驗に基くと自認する哲學的思索が却つて屢々それを遊離した抽象的思惟や推理を基とした哲學的認識の形式主義に陷る危險を持つ。更に行爲現象學は、超越の段階を歴史的發展段階に卽して敍述すると云つても、超越の領域が直に事實的歴史的な發展と一致するとの意ではない。云はゞ源歴史的な發展の秩序に從ふことを意味する。事實的歴史的な世界の背後に、云はゞ源歴史的な領域として、純粹行爲の超越界を見ると云ふことは、それが一般形而上學の領域として、事實的歴史的な世界を絕對的に超越すると同時に、かく超越することによつて、却つてこれをその根據に於て成立せしめるものとして、把握することを意味する。併し、かやうな純粹行爲の領域は、單純に對象的に觀想せらるべきものでなく、夫自體辨證法的なる行爲的超越によつて、云はゞ行ぜられることによつて見られるものである。かやうな行爲的な體驗會得なくしては、明確な概念的把握としての存在論的認識も成立ち得ないであらう。卽純粹行爲の領域は、何等かの對象的把握によつて客體的に捕捉せらるべきものではなく、只行爲的主體としての具體的人間存在の行爲的な主體的把握に於てのみ、その充實せる內面的機構を白日の下に持來すを許すであらう。かくて行爲現象學は、かやうな純粹行爲の領域を、その超越の云はゞ源歷史的な段階秩序に於て、その有ゆる形態を明にすると共に、その內面的本質的な一般機構を、原理的に闡明することをその課題としなければならない。併し、此課題を完全に解決することは、右の所論からして容易でないことが明であるから、我々はこゝでは、只その一般的な外廓を、暫らく事實に對する深き且つ廣き洞察から離れて、云はゞプログラム的に敍述することを以て滿足しなければならない。

三

扨て純粹行爲の超越的な領域の源歷史的な發展秩序を、それ自體辨證法的構造に於て理解することは、辨證法的存在論の立脚地からは當然豫期せらるべき必然性であらう。卽我々はかゝる領域の發展秩序を、卽自的・對自的・卽自且對自的(感性的・悟性的・理性的)の三段階に於て見ようとするものである。併しそれが單に現象學者の肆意に基くものではなく、實證的事實に卽應した具體的な必然性を持つが爲には、行爲的主體としての具體的な人間存在を歷史的社會的環境に卽して、自ら超越を遂行することによつて會得し、且つ理解しゆかなければならぬ。

人間は行爲の主體として、歷史的社會的環境に於て存在するのであり、このことは人間の個性的人格的存在と世界の環境的存在とが、離るべからざる聯關に於て存在することとの具體的把握なのであるが、此具體的な超越の遂行が、常に全面的に自覺せられるとは限らない。人は、先づ、何よりも感性的存在者として自己を自覺する。世界は感性的存在者との共感に於て、その具體的存在性を確保する。こゝでは自己存在と世界存在とが、即自的な直接性に於て、親密な融合一致の存在感によつて滲透せられる。人間の個性的な存在が極度に稀薄であり、全體の中に包攝される。此場合、暴力的な自然的環境が寧ろ社會的な環境に對して優越な力を持ち、人間のパトス的な力がロゴス的な力に立ち勝るとき、自然的環境が全人間的存在をパトス的に壓抑し、人間はそれへの隨順に於て乃至渇仰に於て、夫自らの意義と根據を見出す。併しこのことは、決して人間の具體的存在が歷史的社會的現實に於ける辨證法的存在であることの事態を見失はしめるものではない。人が手で道具を用ふることによつて動物から區別せられると云はれる瞬間から、彼は行爲的主體として歷史的現實を離れ得ないのである。人間は環境の世界に對して、自己の魂を移入することによつて、自己と世界との親密な融合存在感に浸ると共に、世界が自己の肆意に屈しない惡魔的なるものを持ち、何等か薄氣味惡き暗さを以て脅威することを感ずる。彼の感性的な存在が必ずしも常に全的に滿足し、それに於て安定するものではない。こゝに既に人間の具體的な存在が、世界環境に對して、否定的に對立する行爲的主體であることの辨證法的意味が隱見して居ることを否み得ない。否、本質的には、後者の地盤の上に於てこそ前者も成立し得ると看做すべきであり、只行爲的超越の卽自的段階に於ては、辨證法的構造の具體的聯關が未だ充分に自覺せられて居ないと見るべきである。換言すれば、純粹行爲の卽自的段階に於ては、行爲的主體と客體的環境との行爲的辨證法的聯關が、云はゞ卽自的にのみ自覺に持來されて居る結果であると見なければならない。そうしてかくあらしむる原因は、人間存在が、其超越の初期の段階に於て、主として自己存在を自然的環境に對立せしめることに於て把握するからである。自然的環境は、人間の存在を脅かすものとして、人間の感性的實踐の對象となる。人間存在は、未だ社會存在としての本質に於て自覺されず、社會は自然の暴力の前に無力なる存在として横はる。感性的な行爲の主體としての人間は、自己存在が自然的環境に對立し得る所以の本質を自覺することが出來ず、主體と客體との間の眞の否定的對立が見出されない。此事は云ふ迄もなく感性的なるものの直接性に基くのである。主體は客體と卽自的に合一すると云ふよりは、寧ろ主體的存在は客體的存在に對して、常に何等かの意味に於て受働の態勢に在ることによつて、その自己存在は客體によつて奪はれ、客體的自然的環境の中に自己存在の本質を見出す。社會的環境も、こゝでは、殆んど自然的環境との類比に於て見出される。主體の獨自的な自己存在が、客體的なものに平準化される。「我」の「世界」に於て占める位置は、獨自的な奪ふべからざるものではなくて、「汝」と取換へ得るものである。「我」と「汝」が絶對的な否定的斷絶を隔てて對立することがなく、「我」は「汝」の中に即自的に沒入せしめられ、乃至「汝」は「我」の中に即自的に相即相入せられる。即「我」と「汝」と「物」とは中性化された平面性に於て連續するのである。我々がこゝで感性的行爲と云ふのは肉體的勞働を指すのではない。後者は存在的實證的規定に過ぎない。こゝに感性的行爲と云ふのは存在論的な規定である。辨證法的超越の即自的直接的領域、即自的純粹行爲の領域を意味し、人間の歷史的社會的現實に於ける超越的な存在の仕方の一種である。從つて其本質及內面的構造を、種々の變容に從つて具體的に明にする爲には、歷史的社會的な具體的事實に即して哲學的に解明しゆくことを必要とするのであるが、其暇を有しない今は、只一般的な敍述に止めて置かねばならない。

凡べて直接的即自的な行爲的超越の領域に於ては、主體と世界環境とは、行爲の卽自的面に於て聯關する。尤も此場合に於ても、人間の具體的な存在が、行爲の主體として歷史的社會的現實を離れて存立し得ない限り、人間が辨證法的な存在として、行爲の對自面及卽自且對自的なる面が、失はれて居ると云ふ譯ではない。云はゞ之等の面が蔽はれ隱され、卽自面が有力に前景を占めて居ると考へるべきである。此事がやがて又感性的卽自的な超越領域に於て、種々の內面的動搖と變動を起さしめ、卽自的な純粹行爲の種々の變容形態を生ずる因をなすであらう。扨て主體と環境とが行爲の卽自面に於て聯關すると云ふことは、主と客とが云はゞ有的に連續することを意味する。勿論こゝに於ても人間は既に行爲の主體として存在し、且つかく把握されて居る以上、主體と客體との區別が全然失はれて居る譯ではない。主體は何等かの意味で常に現實の中心的な意味を擔つて居る。主體が環境の中へ、環境が主體の中へ沒入せられる何れの場合に於ても、此意味は失はれない。其中間的な諸種の形態に於ては、明に主體は「今こゝ」の中心點をなして居るのであつて、其限り客體的環境と區別せられなければならぬ。只此「今こゝ」の中心點が獨自的な意義を持つものでなくて、他によつて容易に置換せられ得るところに特質を持つてゐる。「こゝ」の連續が空間をなし、「今」の連續が時間を作る。否所謂「通俗的時間」と呼ばれ、又通俗的に空間として理解せられて居るものは、實は感性的超越の內面的構造をなす時空に外ならない。常識的な時空とは感性的な直觀に於て與へられ、それの根柢に於て先驗的に明らめらるべきものであるよりは、感性的行爲の主體としての人間存在を、「今こゝ」の存在として可能ならしめる存在論的根據として、論明せられなければならぬ。主體は感性的卽自的空間的超越によつて、世界に於ける「こゝ」的存在として、「そこ」乃至「かしこ」から區別され、「そこ」的乃至「かしこ」的存在と云はゞ有的に連續して世界の全體性を形造くる。併し此卽自的な空間超越を直に自然科學的な空間概念と混同してはならぬ。前者は後者の發生の基礎であつても、決して兩者は直に同一ではない。前者は飽く迄存在論的な根本出來事であり、人間の具體的存在の一つの根本的存在範疇に外ならぬ。單に幾何學的形體が、一般にそこに於て可能となる同質的量としての空間、或は物理的運動可能の制約としての空間を意味するのでなくて、感性的行爲の主體としての人間存在が、一般に世界內存在として可能となる根本存在根據を意味する。こゝでは、空間の辨證法的な具體的本質が明にされて居ないで、只其卽自面のみが有力であるが、しかも此空間によつて可能となる主體的存在は、單なる點的存在ではない。歷史的社會的現實に於ける「こゝ」を規定する。彼は「我」を中心として環境を感性的に把握し、意欲し、情感する。彼は認識に於て對象と一となり、意欲に於て環境に隨順し、融合し、乃至反撥し、征服され、情感に於て對象と一となり、融合乃至反撥する。しかも常に「我」と環境との間に親近なもの、類似的なもの、同類的なものを見、共通性の地盤の上に一つとなり、融合乃至反撥するのである。

更に主體は「今」的存在として、必然と可能は現在の瞬間に平準化される。そこには峻嚴な運命的必然性の前に脅ゆる戰慄もなければ、それに徹する諦觀もない。自由は只肆意の形に於て自然的必然性の衝動的發露となる。しかも「今」は單なる一直線的な物理的時間の任意の一點なのではない。それは常に歷史的社會的現實の行爲の主體を、此「今」に於て規定する卽自的時間の現在的今として、過去的「今」未來的「今」と區別せらるべき特質を有つ。只此「今」は繰り返され得る「今」として、獨自性を有たない。時間はこゝでは「今點」の連續として把握せられるのである。「今點」は單に過去と未來によつて幾何學的に限定された幾何學的點なのではない。それは辨證法的存在たる行爲的主體の卽自的超越に於ける時間を構成する契機なのである。時間は卽「今點」の連續的運動の結果と見られる。

かくして純粹行爲の卽自的領域に於ては、人間の具體的存在を可能ならしめる存在論的根據として卽自的時空超越を見出し得べく、其內面的構造を、一は主體と世界環境との殆んど同質的な相卽的連續に於て、他は可能と必然の「今點」に於ける連續的融合に於て見出し得ることを知り得たのであるが、同時に之等の卽自的時空超越を可能ならしめる內面的契機が、不明瞭な形に於てではあるが、既に初から區別せられて居り、かやうな契機の本質的には辨證法的な聯關なしには、人間の具體的存在が總じて成立不可能であることを知らなければならない。卽空間的には、主體と社會的環境及自然的環境が、殆んど區別し得られない最も原始的な融合的連續的形態から、それ等の區別が漸次明瞭となり、遂には否定的對立に轉化するに至る迄の種々の變容的形態を通して、又時間的には、可能と必然とが殆んど其本質を失つて現在の「今」に中性化せられる原始形態から、それ等の區別が漸次明瞭となり、遂には可能と必然との否定的對立に轉化するに至る迄の諸種の變容形態を通じて、之等の辨證法的契機が全然失はれて居る譯ではなくて、只辨證法的な本質に於て顯はならしめられて居ないと云ふに外ならない。時空相互の關係もこゝでは根源的な辨證法を構成するのではなくて、云はゞ縱と横との關係の類比に於て成立する。兩者の本質的な矛盾對立は存在しない。こゝでは兩者を對立的矛盾に持來す否定性は固より、更に此對立に於て保存しつゝ止揚綜合する否定の否定としての絶對的否定性の辨證法的な力は、充足的に現はれて居ない。云はゞ蔽はれ隱されてゐる。併し蔽はれ隱されてゞはあるが、常に云はゞ潛在的な力として伏在してゐると云ふことは、やがて卽自的超越を對自的に、又卽自且對自的に止揚し得る理由であると共に、卽自的超越そのものの領域內に於ても、種々の變容形態を生ぜしめる動因をもなすであらう。

四

卽自的なる超越を對自的超越に高める動力は否定の力である。否定は單に形式論理的に其本質が明にせらるべきではなく、存在論理的に否定の成立つ根據が明にせられなければならぬ。意味の否定を俟つて行爲の否定性が成立つのではなく、行爲の否定性を俟つて初めて意味の否定性も成立つのである。

感性的な行爲の主體としての人間が、卽自的超越の領域を離れる爲には、單なる連續的移行によつては不可能である。感性的な行爲夫自體を根柢から否定する新しい原理の擡頭によつて、辨證法的な超越が遂行されなければならぬ。しかもかやうな否定性は、感性的行爲に外的に加はる何等かの力なのではなくて、云はゞ自らの根柢に深く潜在せしめ居る根源性である。「今こゝ」的存在として、單に世界環境に對しては卽自的に連續し、自らの可能的存在に深く目覺めなかつた人間存在は、歷史的社會的現實に於ける自己の奪ふべからざる獨自的存在に於て自覺し、環境的客體に對し、自己の主體的自己存在を明ならしめる。こゝでは環境は主體に對して對立する存在として、相互否定的に限定せられることによつて肯定せられる。我の個體的存在は自己の自然的性格を超克すると同時に、環境的自然を超越し、且つ之に否定的に對峙する社會的環境が、その獨自の本質に於て把握され、「我」に對する「汝」の共同體として、主體的客體性が確認される。主體は先づ環境的自然に於て、自己に對立し、自己を否定するものを見ることによつて自己存在を確立する。行爲の卽自的感性的な領域に於ては、主體は受動的な態勢に於て、云はゞ主體はその自己存在を環境存在の中に吸收せられることによつて、自己の獨立的な存在を失ふと共に、環境的存在との卽自的融合一致に於て、却つて自己存在を見出すとも云ひ得べきであるが、行爲の對自的な領域に於ては、自己存在を環境的存在から引離し、之をそれとの對立に持來すことによつて、自己の獨自的存在を奪ひ還へすのである。そうして此ことを可能ならしめる原理は、主體と客體の根柢にあつて兩者を否定するところの原理である。主體に卽して云へば、主體が環境に對して飽く迄受動的な態勢に止まる間は、感性的卽自的な領域を離れないのであるが、感性的なるものをその根柢に於て否定する所の新なる原理の擡頭が、對自的領域への超越を可能ならしめる。そしてそれは客體に卽して云へば、主體の卽自的認識態度·欲求態度等を否定するところの何者かの存在として現はれる。つまり感性的行爲そのものの中に、自己矛盾を藏し、否定を媒介として超越を可能ならしめるのである。かくて悟性的對自的行爲の超越領域に於ては、主體は環境に對して、獨自的な自己存在として對立するのであるが、自然的な環境に對立せしめられる限りに於ては、未だその自己存在の獨自性を確立せしめ得ない。何者、此場合は自然的環境は主體的存在に對して絶對的な否定的原理を含まず、却つてそれによつて征服され利用さるべきものとして、併し又その限り、それに對抗するものとして、主體的存在を否定的に限定するに過ぎないからである。しかも對自的な超越領域に於ては、自然環境は、何等かの意味に於て主體的存在と對立する限りに於て、その自己存在を確立することは失はれてならない。自然が自然として、主體的存在とは獨立して、その獨自な存在性を獲得するかに見えしめる存在論的根據は、此對自的超越領域であるとも云ひ得やう。何者、こゝでは自然は感性的な內容を否定的に超克することによつて、主體的なるものとの分離を完成し、不變的悟性的な內容に於て、主體的存在に對立せしめられるからである。併し一方感性的なるものからの脫却によつて、その獨自的な客觀性を確立し得たかに見える自然は、他方行爲的現實を離れた認識的悟性的主體に對立せしめられることによつて、却つて屢ゝ其獨立性を失ひ、悟性的自我の能動性の下に包攝せられる皮肉なる運命を有つ。しかしかやうな場合に於ても自然の背後に物自體的な超越者が想定されることによつて、主體に對する自然の對立性が救護せられる。要するに自然的內容を持つことによつて、夫自體の獨自性を確立し得る如く見えるのは、一方感性的行爲の領域に對立し之を止揚することによつて可能なのであるが、他方對自的悟性的な行爲の超越領域が根柢に橫つて居るのでなければならぬ。でなければ、悟性的主觀に對して否定的對立存在として自性を維持することは困難であらう。併し悟性的行爲の主體が、自己の獨自性を一層確立し得るのは社會的環境に於てである。こゝに於ては、主體は自己を全的に否定し制限する他の主體的存在と對立する。環境そのものが主體的客體的存在として自己存在に對立するのである。そしてかく對立することによつて、主體的存在が相互に自己存在を獲得し、又相互に主體客體的存在として環境的存在となる可能性を有つ。こゝでは主體的存在相互間の否定斷絕は前の場合と異つてより完全である。反省的悟性的行爲の主體としての人間存在は、自己の感性的內實を撥無し超克することによつて、之と否定的に對立し、かく對立することによつて自己の本源性を自覺し、感性的なるものを征服し、克服する限りに於ての自己存在にその獨自的人格性を根據づけ、かゝる限りに於て又社會的環境に於て自己存在を確保する。卽こゝでは、主として悟性的な人格が、個性的主體として對立せしめられる限りに於て社會は成立し、又主體はかゝる社會を構成する素員として其存在を確立し得る。然るに單に感性的なものから超越し抽離せられた限りに於ての個性的人格は、悟性的な認識主觀と考へられる限りに於ては、一般的普遍的な內實を有つに過ぎず、眞の意味に於て個性的人格として成立し得ず、從つて、主體と主體が眞の否定的斷絕を隔てて相對立することが出來ず、相互に他を否定的に限定する意味を持ち得ない。夫故に、個性的人格はこゝでも、自由を原理とする叡智的性格を有つことによつて、その獨自性を得來らねばならぬ。此事は卽悟性的人格が一般に社會的環境に於て、その自己性を確立し、他の主體と否定的に對立し得る爲には、常に悟性的行爲的超越が其根柢に横はらねばならぬことを示すものでなければならぬ。悟性的な行爲の主體は社會的環境に於て、自己存在を感性的自然から區別し、その一般的普遍性に於て自己人格の自主的存在を確保すると同時に、それが行爲の主體として、常に他の主體的客體と否定的對立に於て自己存在を可能ならしめられる。併し此際注意すべきは、主體的存在と客體的存在とが、否定を通して相互對立による相互肯定を可能とせられることによつて、行爲的超越の對自的側面が明に前景に現はれるに至つて居るのであるが、夫にも拘らず、其背後に此否定的對立を更に否定的に止揚することによつて、卽自且對自的な超越領域に超越を可能ならしめる潛勢力が働いて居ることである。此事が對自的超越領域に於ける種々の動搖と、これに基く種々の變容を將來する原因をなすのであつて、主體と環境との否定的對立肯定を、何等かの意味に於て相卽融合せしめんとする種々の思想的努力が起るのも此爲である。只之等凡ての變容を通じて乖離的な性格が顯著であり有力である。併しこの否定的對立乖離と云ふことも、更に事態を深く考察すれば、尙眞の內實が發揚されて居ないとも考へられる。こゝでは主體的存在が、主として悟性的內實に於て自覺されて居る限りに於て、眞の個性的人格の全體性が發露されて居らず、從つてかゝる主體相互の行爲的聯關は未だ眞實の否定的對立をなさず、主體的存在は個性を帶びない一般的人格性として、――よしそれは感性的超越領域の「今こゝ」的存在の如く、無記的存在でないにしても――尙主體一般の代表的性格を帶びることによつて、相互置換可能の性格を帶び來るからである。

かくて對自的なる行爲的超越の空間的側面に於ては、主體と客體とは、否定を通して相對立することによつて其自性を確立し、云はゞ空間的な位置を定めると云ひ得るが、しかも其位置たるや奪ふべからざる獨自性を持つものでなくて、一般的代表性を有つことによつて置換可能であり、またかくあることによつて相互對立しつゝ連結し得る可能性を有つ。云はゞ感性的超越の領域に於て卽自的な側面が前景を占めたに對し、こゝでは對自的な側面が却つて前景を占め、卽自面が單純に否定され、背後に押しやられたと見得る。超越の辨證法的構造が未だ其全面性に於て發露されて居ない結果である。同様のことが時間的側面についても云ひ得るであらう。何者、こゝでも主體は單純に可能と必然の卽自的無記性に於て存立する「今」的存在ではなくして、自己を一方に於て必然的存在として把握し、他方に於ては又之に對立する可能的存在として確立し、かくて可能的存在が必然的存在に對立し、之を征服することに主として其獨自性を確保するからである。こゝでは自由は必然との否定的對立に於て認められて居る限り、單純なる連續はない。時間の辨證法的構造の非連續的側面が前景を占めて居ると云ひ得るであらう。にも拘らず、自由と必然との眞實の否定的對立は此場合にも充全的に發露されて居ない。何者、主體的存在は自己の本質を主として可能的存在に置くことによつて、必然的存在の根源的對立性を弱め、單純に征服さるべきもの、否定さるべきものと見ることによつて、自己の獨自性をも失ふ。未來が單に肯定さるべきもの、過去が單に否定さるべきものとして、對立する限りに於ては、現實は單に理想の影となり、逆に又理想は現實味を失ふ。自由は必然を征服することによつて却つて自己を必然化するのである。

かくて對自的な純粹行爲の超越領域に於ては、空間的にも時間的にも、主體と客體、可能と必然の對立性・非連續性が主として前景に現はれ、卽自的連續性が蔽はれ、隱され、背後に押しやられるのであるが、そのことが却つて對立性を眞實の相に於て顯はならしめず、主體存在をして客體存在と何等かの共通普遍性を有たしめることによつて自己存在性を稀薄ならしめ、可能的存在をして、其對立緊張性を弛緩せしめ、歷史的現實性の奪ふべからざる行爲的瞬間性を抽象化し一般化する。こゝでは主體的存在は單に感性的行爲の主體としての感性的瞬間的存在ではない。それは悟性的一般性に目醒め、自己を自由なる行爲の主體として、自己を必然的なる世界環境から區別し、過去の必然的な運命を未來の自由可能性によつて征服しゆくところに、自己存在の本質を認める自由なる人格的個性として自覺せられる。併し自由なる個性的人格と云ふも、悟性的一般性を內實とする限り、眞の獨自性を有つものでなく、只空間的には自然環境、時間的には必然的存在に對して、抽象的對立性に於て自己の獨自性を保有するに過ぎない。固より此場合、此對自的超越領域を可能ならしめる空間的並に時間的超越の領域が、單に對立性•非連續性によつて成立つと考ふべきではない。恰も感性的領域に於けるそれが、單純に卽自的連續性に於て成立つと見るべきでないと同樣である。對立性•非連續性の背後には連續性が潛在的に働いて居ると見るべきである。然らざれば本來空間及時間は成立ち得ないであらう。時空は本來辨證法的構造を持つ。非連續の連續的構造を有つ。卽自的及對自的の時空とは、要するに此辨證法的時空の云はゞ未發の形態である。

五

行爲の對自的超越領域を卽自且對自的領域に迄高める原理は、依然否定性の原理である。否定性は、こゝでは、否定の否定として充實せる辨證法的威力を發揮する。理性的行爲の主體としての人間は、自己を世界內存在として、世界環境に於て、眞に自己の獨自的な個性的人格を確立すると共に、共同存在としての社會的環境及自然的環境も、それぐ其自性に於て確立せられる。こゝでは主體と客體とは、云はゞ卽自面を蔽ひ隱すことによつて、否定的に對立するのではなくて、眞に否定的に對立することによつて、却つて卽自面が新なる光に於て顯はならしめられる。先づ自然的環境は、單純に主體を否定するものとして對立し、主體によつて單純に征服さるべきものとして見らるゝのではなくて、自己を根柢より否定することによつて、主體に對する基體的意義を有ち來り、主體は又悟性的抽象性を根源より否定することによつて、自然を辨證法的止揚によつて、自己の內實に取入れ、眞の自己存在を確立する。卽理性的行爲の主體と客體的自然とは、云はゞ一は眞實の人格的主體として、他は物件的道具的客體として、相互否定的に對立すると共に、兩者は更に自己存在を可能ならしめる深き否定性の根據に於て相連がるのである。單に悟性的一般性を帶びた主體的人格と之に否定的に對立する自然との間には、歷史的個性的な人格主體と道具的自然との間に於けるやうな峻嚴な否定的對立性はない。自然的環境が主に對する從僕的奴隷的な意義を帶びることによつて、主體的存在の獨自的個性的人格性が確立せられる。否自然的環境の道具的從僕的性格と行爲的主體の歷史的個性的人格とは、歷史的社會的現實の行爲的辨證法的超越の領域に於て可能となるのである。自然的環境はこゝでは自然科學的自然と凡そ對蹠的な存在形態を有つであらう。自然は、單に、一般的抽象的な普遍的存在形態を有つことなく、行爲的主體の環境的自然として、獨自なる歷史的社會性を帶びた自然として、主體との離すべからざる否定的聯關に於て成立するであらう。自然は本來理性的行爲の主體に對する環境的自然として存在するものである。しかもこの環境的自然は、歷史的社會的現實の辨證法的事態に卽して云へば、同時に個體的存在卽共同的存在としての人間の具體的存在の基體的存在として、主體と否定的に綜合せらるべき本源自然でもある。

併し行爲的主體が、歷史的社會的現實に於て眞に自己の獨自的個性的人格を確立し得るのは、社會的環境に於てである。眞に個性的人格をかゝるものとして否定的に限定し得るものは、また夫自體個性的人格でなければならぬ。我を可能ならしめるものは「汝」である。こゝでは理性的行爲の主體が、他の行爲的主勿論この場合斷る迄もなく、「我」が存在することによつて「汝」が存在し來ると云ふやうな關係ではなく、「我」と「汝」とは行爲的聯關に於て成立し、行爲は又「我」と「汝」との辨證法的存在聯關として成立する。「我」の主體的個性的存在と社會的環境の客體的共同存在とは同時的に成立し、同時的に自覺される。しかも此際個性的人格的存在は悟性的抽象的一般性を否定的に棄却し、自己を理性的超越領域に高めることによつて、本源自然的基體を止揚契機とする夫自體綜合的辨證法的存在として、他の行爲的主體の個性的人格と絕對否定的に對立する。眞に個性的なる人格と人格との間に於て、初めて眞實の否定的對立が成立つと云ひ得る。何者眞に個性的人格的なるものが、眞に具體的に實存すると云ひ得るからである。論理的なる意味の否定の根柢には、存在論的な人格の否定がなければならぬ。歷史的社會的現實に於て行爲の主體が自己を個性的人格として確立し得るのは、他の個性的人格と行爲的に聯關し、自己を限定し否定する原理を相手に於て見出すからである。併し又此峻嚴なる人格と人格との否定的對立を持來すところの原理が、同時に之等を聯關せしめ、共同存在としての社會を構成せしめる原理でもある。恰も悟性的超越領域から理性的超越領域に高める原理が否定性にあつた如く、理性的超越領域に於て對自的側面と卽自的側面とを辨證法的に綜合せしめる原理は、否定の否定としての否定性の原理である。個性的人格はこゝでは一方に於て相互に眞の獨自的な個性的人格として峻嚴な否定的對立に於て立つと共に、他方に於ては、かくあらしめる否定性の根據に於て密に相聯關する。眞に個性的人格に於て眞實の愛の自覺も可能なのである。

以上卽自且對自的な超越領域の空間的側面について考察したのであるが、同樣のことが時間的側面についても云ひ得るであらう。行爲的主體としての人間存在は、歷史的社會的現實に於て、奪ふべからざる其獨自的人格個性によつて云はゞ自己の社會存在に於ける空間的位置を確立するのであるが、それと同時に、また、歷史的現實に於ける自己の時間的位置をも確立する。彼は自己の行爲によつて云はゞ歷史的瞬間を創造するのである。可能と必然とは最早や單なる悟性的な對立ではなくして、峻嚴な否定的對立に持來されると同時に、根源的否定性を通して密に聯關せしめられるのである。必然的過去はその打勝ち難き運命性を以て現實を脅かす。併し此峻嚴な運命性は、人間存在の根源可能性と否定的に對立することによつて、初めて自己の存在性を獲得し得るのであつて、若し人間存在に於て根源否定性の根據からして、可能存在への自由の企劃がなり得ないならば、恐らく過去の必然的運命も、かゝる峻嚴性を以て人間に迫ることはあり得ないであらう。それと同時に自由も亦これに否定的に對立する必然を俟つて初めてその本質的な存在性を獲得するのであつて、必然を單純に自己の中に併呑する自由は、實は眞の自由ではあり得ない。さりとて自由の本質は、單純に必然と對立せしめられるところにあるのではなく、相互否定的に對立に持來されることによつて、却つてその根柢の否定性に於て兩者密に聯關するところに存する。必然は自己を否定することによつて、自己を可能に轉化する契機を藏し、可能は自己を否定することによつて、必然に轉化する。そして此可能と必然の否定的對立による相互肯定、及根源否定性に基く相互否定による相卽相入の聯關を可能ならしめる場面が、現實の行爲的瞬間である。

かくて卽自且對自的なる純粹行爲の超越領域に於て、初めて人間の最も具體的な存在が、其全面的な辨證法的性格に於て顯現すると云ひ得るであらう。元來歷史的社會的現實存在は、歷史的社會的行爲の主體としての人間存在を離れてあり得ず、また人間の具體的存在は、歴史的社會的現實存在に於ける歷史的社會的行爲を離れてあり得ない。人間が個性的行爲的人格として、自然的環境及社會的環境に對して行爲的に聯關することによつて、人間の具體的現實存在、延いては歷史的社會的現實存在が成立つ。否三者は同一なる事態の異つた表現に外ならない。卽主體と環境とが先づあつて後兩者の行爲的聯關が生ずると云ふのでもなければ、行爲的聯關が先づ抽象的に存在して、それに於て主體と環境とが存立せしめられると云ふのでもない。主體と環境と兩者の行爲的聯關とは歷史的社會的なる現實を構成する內面的契機であり、此契機の構成する具體的聯關が辨證法的構造をなす。暫く聯關に卽してこれを云へば歷史的社會的現實は、行爲的現實であり、その超越論的樣相に於ては、云はゞ行爲的辨證法的超越の領域に屬し、純粹行爲の辨證法的否定性の力に於て成立つことを知る。夫故、こゝに純粹行爲と呼ぶものは、敢て斷る迄もなく、實證的事實的な意志行爲を指すものでないことは明である。主體と環境との辨證法的な聯關を意味する存在論的な概念に屬し、人間存在の最も具體的且根本的な存在の仕方、云はゞ人間存在に於ける根本出來事を意味する。それは否定的對立及否定性に基く相卽的聯關を可能ならしめる辨證法的聯關そのものとして、存在をして存在たらしめる存在論的根據であると同時に、認識の客觀性の基く根據でもある。

然るに我々は此純粹行爲の超越領域を空間的超越と時間的超越領域に區別して考察したのであるが、蓋し行爲を其云はゞ靜的な側面に於て分析する場合、主體の環境的世界への超越として把握し得ると同時に、其云はゞ動的な側面に於ては、主體の現實的存在が、必然の世界より可能の世界への超越として理解し得るからである。主體が環境と否定を通して對立し、しかも根源的否定性の根據に於て相卽相入せしめられることによつて、行爲的主體が、一方に於て個性的人格として獨自的な自己存在を保ち、他方に於ては共同存在として、世界の存在を可能ならしめるものは、これこそ行爲の本源的空間性と呼ばれて至當であらう。何者こゝに於てこそ個體の占める場所がその奪ふべからざる獨自性に於て確立され、空間的な距離や方向の規定さるべき根據が求められるからである。更に現實存在が必然存在を否定して、可能存在へ企劃することによつて、自己の現實的な瞬間を云はゞ常に新に創造することは、これこそ本源的時間の名に相應はしいであらう。何者、こゝでは主體は單に個體として、他の個體及環境から區別せらるゝ自己存在を確立するのではなくて、自己を現實存在として、絶えず新なる創造に於て自己存在を立するからである。行爲的瞬間は一つの創造であり、この創造によつて初めて時間の奪ふべからざる瞬間は規定され、時間的距離や方向の規準が定まると云はねばならぬ。併しかく本源的時空を別個に考察するのは單に敍述の便宜に過ぎぬ。歴史的社會的行爲の主體としての人間存在は、一方社會的環境に於て、云はゞ空間的に自己存在を定位すると共に、他方歴史的進展に於て、云はゞ時間的に自己存在を定位する。空間的定位を離れて時間的定位はなく、又其逆もあり得ない。歴史的社會的現實は本源的に時間的空間的である。此事は又行爲の即自的及對自的領域についても妥當する。時空は相互に純粋行爲の越超領域の根源的なる辨證法を構成するのである。一は歴史的社會的現實の靜的面として、他の動的面の否定に於て成立し、他は又一の否定に於て成立する。兩者は否定的媒介を通して相互に肯定せられる。主體が世界に於ける環境との聯關は云はゞ靜的な緊張關係であり、現實存在が可能と必然との間に成立する聯關は云はゞ動的な緊張關係であり、相互に他を否定的媒介として、自己存在を確立すると云ひ得る。しかも兩者は根源的な絶對否定性に於て相卽相入せしめられるのである。本源的時空は、それ自體有として、相互否定を媒介として自己を肯定すると共に、自己否定を通して根源的無の否定性に於て、相互に相卽相入せられる。辨證法的純粹行爲は、有であると共に無である。否、有と無との辨證法的綜合統一である。本源的時空の自性有は、無の否定性の根據の上に成立つ。時空の自性有の根據に於て、有限的なる存在は基礎づけられ、其否定的無の根源性に於て、有限存在の自己超越の可能性が基礎づけられる。卽本源的空間によつて世界の有限的存在が、本源的時間によつて、現實存在の有限的存在が、かゝるものとして基礎づけられると共に、その根源的無性に於て、超越の絕對的根據が證示されるのである。

存在と眞理

——ヌツビッゼの眞理論の一攷察——

洪耀勳

一

人間的主觀は勿論のこと人間的主體と雖も、其れ等が客體的なるものに非ざる限り、即ち人間的である以上、此等のものは廣義の人間的・人間學的見地にあるものと言はねばならぬ。我々は寧ろ人間的であるといふ「ある」に於て、人間的存在の根柢を見出すべく、また學一般の基礎確立、更に學の學たる哲學の根本原理の究明をなすべきではなからうか。一般に如何なる在り方、形態乃至樣相が取られるにせよ、其れが一つの存在するもの (ein Seiendes) であることには疑ひない。何者、斯かることを疑ふこと其自身もまた一つの存在するものであるに外ならぬからである。其れ故、存在の概念は最も一般的且端初的であるといふことが言はれ得るのである。

所が、存在は種々な形態に於て把へられ、樣々な意味に於て語られると言はれるやうに、存在は必しも常に其の自體存在に於ける純粹存在性に於て問題とされるのではなく、却つて色々な存在の現象形態に於て把握され攷究されるのを普通とする。このことのうちには既に存在の我々に對する (für uns) 顯はれ方が言表されてゐるのである。此の存在の我々に對して顯はれる仕方を、存在より離して單に人間的、意識的主觀に於て明かにせんとする認識論的、乃至知識論的哲學 (Erkenntnistheoretische oder gnoseologische Philosophie) と、――哲學と言はれる以上其れは單なる人間的意識の心理學的處置に非ざることは自明の事柄に屬するのであるが、縱令其れをカント的に先驗的意識にまで純粹化し得ても依然其れは意識の範圍を出るものではない――存在を存在するものとの相卽的・辨證法的轉換に於てでなくして、抽象的に單に存在するものまたは存在性の領域に於てのみ究めんとする所謂實在論的乃至存在論的哲學 (Realistische oder ontologische Philosophie) とは、其の二代表的なものである。我々は存在の認識に關する限り、哲學の此の兩側面の存すること及び夫々の正當なる權利を認めざるを得ない。然し同時に我々は其の各〻の立場性に基く一面性狹隘性をも看過することは出來ぬ。何となれば我々は、其の各〻が自己のみを學的哲學の理念への唯一の通路と考へる所の認識論的哲學及び存在論的哲學のそれ〴〵の偏見に對しては警戒する必要があるからである。

然らば學的哲學の理念に全的に副ふべく必然的に要求せらるべきところの根本的前提は何であるか。この問に答ふるものとしていはば哲學全體への通路としての哲學一般の豫備學たるべき意圖をもつたものがヌッビッゼの言ふ所の眞理論である。私は、ヌッビッゼの眞理論の重要なる論據を明かにし、併せて其の不明な點を鮮明し、其の言ふ所の眞理論的辯證法を展開することによつて、其の徹底を謀ることにこの小論の主題を集注させようと思ふ。

先づ存在がある。其れは我々の認識を待たず永劫に其の自體に於て其れが斯くある通りに存在する。我々は此處に、存在するものの斯有(Sosein)の言表を看る。然し存在するものは、學一般の成立の根本前提の意義を有するためには、其れは單に可想的(denkbar)ではなく、また可認識的(erkennbar)でなければ、存在は有れども無きに等しきものであらう。此處に我々は、存在は單に斯有に留まるものではなく、より以上の存在(Mehr-als-Sein)たる本質を合せもつものなることを看取しうる。一般の學と同じく特に哲學は存在の認識に於て成立すると言はれるとすれば、其の存在の認識が何よりも先づ眞正でなければならぬ。然し存在の認識が常に十全的に眞正であるのではなく、また誤謬の存することをも我々は率直に認めざるをえない。何となれば認識なるものは、存在を其れが在る通りに十全的に把握するを理念とするも、此の認識の促進的原動因たる理念は、認識の長き荊棘の道の遍歷の終局に於てのみ到達されうるからである。然し誤謬のあることによつて眞理そのものの存在は否定せられうるものではなく、寧ろ反對に誤謬なるものは、認識作用の內容に關してのみ言はれうるのであつて、誤謬の判斷の斯くあるといふ斯有事實は否定せられえず嚴然と誤謬判斷に於て顯現せられるものなる根本事實を我は認容せねばならぬ。このことは、判斷は其自身より觀れば認識でもなくまた誤謬でもなく、眞正なる認識も誤謬なる判斷も同樣に必然的に其等の外に在る充足なる根據が必要であることを表明する。我々は次の如く要約して言ふことが出來る。卽ち存在の認識の眞理であるべき學的哲學の理念の達成の爲めに、「認識とは何であるか」「存在とは何であるか」及び「眞理とは何であるか」の三つの問を統合したる「存在の認識の眞理であるべき原理的根柢とは何であるか」に對する根本的解答の爲めの基礎究明に我々は我々の論點を向けるべきである。かかる意圖の下に眞理存在の原理的前提を明かにせんとするのが卽ち我々の今後の眞理自體の問題を中心とする眞理論であるに外ならぬ。

二

我々は一般に哲學とは、あらゆる存在するものの全體に關する全體知である
のみならず、其れが同時に絶對眞理知でなければならぬことを要求する所の所
謂全體眞理知の究極的嚴密學的組織に於て成立する根本原理學である、と一應
形式的に規定しうるであらう。がしかし、この哲學全體の依つて以て成立つ究
極眞理の原理なるものは、眞理認識の全過程を通じて始めて達成せられるもの
であるから、眞理の原理の何たるが問はれるに先立つて哲學思索の何たるが先
づ問はれねばならぬ。其れ故、哲學は、眞理とは何たるかの一般的原理的追究
たる哲學思索を通じて成立つ所の純粹知の根本學又は究極知の原理學であるの
謂に外ならず、其れは、哲學思索乃至哲學論究を離れては一般に哲學は成立し
えない關係にあることを示してゐる。此處に我々は哲學其のものと哲學思索と
の間に存する根本的アポリアに遭遇する。卽ち哲學論究の出發に於て我々は、
哲學の何たるかに哲學の本質的概念が明確に概念せられてゐなければならず、

然るに哲學の何たるかの究極原理規定なるものは、哲學論究の全行程を通じて而かも其の終局に於て始めて到達せられ、完結的に解決せらるべきものでなければならぬ、といふが如き哲學論究に際して必然的に出會ふ所の通路なき難問にぶつかる。換言すれば哲學論究の出發に於て、根本的に問はるべき未知と最後に於て知らるべき既知とが同時に把握されてゐなければならぬ、といふ難解なアポリアが我々の哲學論究の發始に於て見出される。

哲學論究に際して見出されるアポリアを我々は同樣に純粹哲學の學的體系の中にも橫はるのを見出す。哲學論究の全行程を通じて其の終局に於て確立されたる哲學的純粹知の體系なるものは、哲學的主觀なくしては成立しえない故、哲學的主觀は其の成立の根本制約たるべきものである。然るに哲學體系が眞なる學的純粹知の體系である限り、其の普遍妥當性のうちには必然的に哲學的主觀の制約からの全き解離を同時に要求する。哲學體系が眞なる純粹學的體系として一般普遍性を有することのうちに存する學的純粹性は、哲學的に論究する主觀のうちの偶有的な主觀的契機よりの全き解離によれる純粹化を意味するものであり、この意味に於て學的哲學體系は哲學的主觀に對して全然超越的獨立的でなければならぬ。之れを要するに哲學體系は一方、其の成立可能の爲めの根本制約として哲學的主觀を前提せねばならず、又他方に於て斯かる純粹學的體系としては哲學的主觀より全然超越的獨立的でなければならぬ。卽ち哲學體系は哲學的主觀によつて制約されると同時に其れによつて制約されてはならぬといふ根本的要求を必然的に併せ有つといふ事に於て示される一つの解き難きアポリアが存する。

此の如き哲學論究及び哲學體系のうちに横はるアポリアの究極的究明がなければ、我々は哲學論究の發途する通路を見出し得ず、また純粹學的體系としての哲學の本質の如何なるものたるを理解し得ないであらう。其れ故、此處に於て示されたが如きアポリアをアポリアとして解くこと其自身が哲學の内容をなすものであり、哲學的課題の本來的解決方法を示すべき一本質的表徵ともなるべきものである。このアポリアを所謂未知の知(Wissen des Nicht-wissens)の問題として、問題學的に解決せんとする方法に對して其の究極原理的解決の鍵鑰を與へんとするのが正に我々が究明せんとする眞理論の一根本課題となるのである。哲學論究の全行程の終局に於て始めて完結局に顯明せられる未知な哲學の本質槪念が其の論究の端初に於て既知でなければならぬといふアポリアに於て示される事態は、其れが哲學的であると云はれ得るためには、其れは實は哲學の發問と其の解答との間にある共通的根據の伏在することの指示でなければならぬ。此の如き同一根據こそ、哲學成立可能の爲めの根本事實として哲學の原理的根柢をなすものと言はねばならぬ。

この哲學論究の可能の爲めの主觀と客觀、認識と對象、形式と內容總じて認識(Erkennen)と認識されるもの(Zu-Erkennendes)との同一なる根據を意味する根本事實は、眞理存在の自體性が哲學主觀の叡知性に待つ明晰判明なる本具觀念として顯現されてゐることを意味する。其れ故に我々は斯かる哲學主觀に於ける本具觀念を、哲學の理念に關して其の原理に於て確立し、且つこの哲學理念なるものが哲學論究の發始的原動因たることを眞理存在の純粹眞理存在性に於て解明すべき課題をもつのである。

我々の見解よりすれば、哲學とは何たるかの哲學の問題は、畢竟するに眞理とは何たるかの眞理問題に歸着する。其れで以て哲學の本質槪念に關する問題は轉じて眞理本質の問題となるべく、從つて哲學論究の發端に當つて、先づ眞理の本質概念が前提的に明かに把握せられてゐなければならぬ。

哲學の本質概念に關する本具觀念が哲學の理念として顯はれる如く、眞理の本質概念に關する基本概念は眞理理念として確立されうる。哲學論究の端初に當つて哲學の理念が前提せらるべきと同じく、此の如き眞理理念は哲學論究の當初に必然的に前提せらるべきものである。

哲學理念の解明は、結局眞理理念の究明たることを上述に於て指示した我々は、今や哲學論究の發端に當つて此の如き眞理理念が如何なる姿に於て立ち顯はれるであらうかを明かにせねばならぬ。然らばもし哲學問題の究極的目標が眞理問題に歸着するならば、眞理理念が哲學論究をして眞正に眞理探求たらしむべく保證するものは抑々如何なる姿に於てであるか。哲學論究の發端に於て必然的に提出せらるべき眞理の問題を正當に問ひ得せしむる所の原理は、我々が後述に於て明かにせらるべき二重本質的眞理自體の純粹形相と純粹理念との辯證法的構造に於て示さるべく、而て眞理自體の純粹眞理性たる純粹形相が哲學論究をして眞正に哲學論究たらしむべく保證し且つ指導するものである。

我々が今此處に於て先豫的に言ふことを許されるならば、眞理自體の二重本質性の原理は、其のうちに其の無内容性一般と内容性一般とが合一的に統合せられ、而て無内容性は普ねく内容性一般に卽在し、内容の總體的契機は悉く此の無内容性の原理によつて規制せらるべきものなることを表明する。この眞理自體の概念は、從つて最も一般的にして最も包括的なる最高概念として哲學論究をして其の眞理問題の内容的探求に關して究極原理的、全體總括的に追求せしむるを可能にする前提的根柢的基本概念とせられうる。

上述の如く、哲學は結局眞理とは何たるかの一般的原理的追究たる哲學思索を通じて成立する所の純粹知に關する根本學または究極原理の學であると言はれる以上、哲學體系が問題とされるより先きに哲學論究の端初が問題とせらるべきであらう。斯くして哲學論究其自らの立場及び其の方法に關する哲學主觀の絕對反省若くは自覺なるものが、學的哲學の批判及び組織の内容的前提をなすものとせられること、又、他方哲學思索の發端に於て、常に哲學内容の學的組織としての純粹知の體系の原理的根柢たる規制原理卽ち眞理自體の存在事實性が何等かの形態に於て顯現するといふ根本事實が我々によつて指摘された。而てこの事は、哲學主觀と哲學原理との間の根本的アポリア其のものに於ても示される哲學成立の爲めの共通的な同一根據として論明さるべきことを意味するものとして我々によつて併せて少しく觸られたのである。

哲學主觀の絶對自覺に於て顯現される眞理自體の純粋存在事實性の根本事實は、如何なるものであるか。がかる自覺に於ては、哲學思索の主觀作用其のものが根源的に問はるべき對象そのものと同一のものであるのみならず、哲學思索そのものが問ふべきものであるに拘らず其自らが問はるべき對象となることによつて、内と外たるとを問はず總べてのものが根本的に問はるべきあるものとなる。即ち主觀と客觀、作用と對象との統合的統一に於て示される共通なる根據が在るもの(Seiendes)として其等の根柢に於て前提せられるのである。而てこの在るものは、哲學主觀の其れを思惟すると否とに拘らず其れが斯く在る通りにあるといふ斯有・事實性(Sosein-Tatsächlichlceit)たるを示すべきものなるも、其れはあらゆる在るものに即在して存在するといふ根本事實(Grundtatsache)として顯現する。このことは、更に存在するものの他の一重要なる性格を示す。即ち存在するものは其の斯くある通りにあるに留まらずして、常により以上の存在(Mehr-als-Sein)たらんとする進展的性格を合有するものである。此れによつて、哲學思索は常に十全なる眞理認識の把握に到達せんとする眞理探求そのものの進展的性格を顯示する根據が示されうる。換言すれば、哲學思索には既に完結的に眞理認識全體を獲得したる十全の狀態を表示するものでなく、その進展的性格に從つて縱令眞理認識の十全なる把握狀態を一時に顯現し得なくとも、かかる眞理探求の可能性を自己のうちに有つもののなることが證示される。この眞理認識の完結的把握へ到達せんとする眞理探求の進展的努力が哲學的思索の本質をなすものである。眞理の全貌は、眞理認識の長き行程と忍苦を通じて其の終局に於て始めて現はれるべきものであるが、しかし哲學の論究の端初に於て何等かの意味に於て其れは顯現されてゐなければならぬことを我々は眞理存在の根本事實として看た。然らば哲學論究の發始に當り、眞理なるものは、如何なる姿に於て問はれ、また擧揚さるべきものであるか。我々はそれを次の如きテーゼに要約することが出來よう。

(一)　總じて一般に問はれるものは、必然的に在るものとして問はれる。何となれば在ることとなくして問はれることは結局無意味であるからである。

(二)　又、在るものは其れが哲學の對象である限り、其れは眞理に於て在るべ

きである。即ち問はれて在るものは眞理そのものに外ならぬ。(存在＝眞理)

㈢ 逆に眞理が問はれるためには眞理が在るものとして問はれるのでなければならぬ。即ち問はれる眞理は先づ在るものでなければならぬ。(眞理＝存在)

㈣ 一般に問ふことは、何等かの意味によつて何等かの形態に於て、在るものが問はれるのでなければならぬ。かくの如く在るものが問はれうる爲めには、其れが既に我々に何等かの形態に於て感知せられたものとして在るといふ根本事實たるを示す。

我々は、かくの如き哲學論究の端初に於て存する根本事實を其の在るといふ最直接的にして且つ最一般的形態即ち存在するものの純粋存在性のうちに求めることによつて、哲學全般の原理的根柢を明かにせんと思ふ。

三

學的哲學は、認識、意志、欲求及び感情等種々なる活動能力を所有する人間の努力によつて達せられることは疑ひなき事實であるが、然し其の故を以て哲學そのものが常に人間的なもの或は總じて人性論的若くは人間學的な見地のみによつて基礎付けられるといふ結論にはならぬ。何となれば、元來絶えざる革新と躍動の中にあるべき人間活動と雖も或一定の形態に固定し硬化して單なる事實の常矩或は定式となることに依つて示される常矩性なるものは、人間特有なるものの形式的要素卽ち主觀的、主體的事態を意味するに止まり、客觀的客體的な存在が不問に付されがちであるからである。我々人間は認識的、思惟的存在であるといふ見解の下に、實在そのものをも特に我々人間的なもののみより判定せんとする人間の自然的傾向に對して、存在そのものの原理的究明を哲學論究の端初として要求せんとすることを我々の主題とする此處に於ては方法的にまた原理的に、斯かる人性論的、人間學的立脚地とは截然と區別する必要がある。我々の認識は、人間の構造の限界を越えないと信ずる所の、從つて世界の把握が、如何に構造的に制限されたる「人間」によつて到達されうるかをのみ問題とする所の人間的立場に於ては、存在者への通路が斷たれ、存在事實(Seins-tatsache)は單に人間的なものの仕方に於てのみ示されるといふ一面性と偏狹性を脫し得ない。この立場は、現存するもの (das Existierende) とか或は現實的なもの

(das Wirkliche) を捕へんとする單に人間的なものの生々せる現實的關心の爲めに非現實的なもの(das Nicht-Wirkliche)を單に無として處理したり、また認識一般の本質及び其の解決の基底と目される所の存在者(das Seiende)を、精々指向存在(das Gerichtetsein)として示すに留まり、存在者を存在者として即ち指向されたる所のもの(Was das gerichtet ist)として問題にすることはない。此の如き特に人間的なものは、世界把握に際して構造的に制限されたる人間にとつて如何なる範圍が可能的であるか即ち人間的可能性に屬するものは何であるかを問題とするに過ぎぬ。従つて思惟者がかかる制約の下に於て見出せる眞理は人間的種(Spezies)によつて命名されたるものの限界を出ることは出來ない。即ち思惟者は、所與より到りうる所の現實的なもの、妥當的なものを除外せる人間的なものに限られたるもののみを意欲し、意志し、認識することが出來るといふ狀況(Situation)にある。かかる狀況は他でありえない(nicht anderes möglich sein)といふ特に人間的なものの能力の限度を意味するに外ならず、その内容は時と共に變化するにしても人間的なものの枠内に止まらざるを得ない限り、斯かる人間的なものの認識は、擬制(Fiktion)の適用範圍として示されるに過ぎない。また人間的なものを、人間の内にのみ限らずそれを生活環境にまで擴大し、環境との交渉のもとに成立つ所の狀態(Umstand)より解釋するにしても、それは單に狀況の直線的延長にすぎず、依然人間的種に制約されたる可能性の限界内に立つ所の「他でありえない立場を表明するに留まる。

哲學論究の端初は、斯かる人性論的見地に基く所の人間學的諸前提に於ては求められ得るものでなく、自己意識の絕對的反省に於て顯現される所の而かも其自身超・人間的なもの(Ueber-Menschliches)、外・人間的なもの(Ausser-Menschliches)の領域に在る眞理存在の自體性に於て、求められなければならぬと信ずる我々にとつては、斯かる人間中心主義的な哲學理說一切は排擊されねばならぬ。

カントの言へるが如く、一切の認識は經驗と共に始まるがしかし經驗のみより發するものではない。このことは、認識若くは經驗なるものは一定の制約の下に於てのみ可能であることの謂である。この制約をなすものは、認識或は經驗の充實としての事實的可能性を意味する所の事實性(Faktizität)と認識に於てではなく認識に先立つ所の先驗性(Transzendentalität)とであつた。先驗的なもの(Transzendentales)への顧慮に於てのみ規定され得るものである故に、カントに於ては

「經驗」は一方先驗的なものに基き、他方經驗の彼岸たる超絕的なるもの卽ち物自體をも顧慮に入れて規定された意味に於て、彼に於ては認識論と對象論とは同一歩調を保つてゐたと看做されうる、がしかし兩者の深き統一の根據確立は遂行されなかつた。「經驗一般可能の諸制約は同時に經驗の對象の可能の諸制約である」(Kant. K. d. r. V. 2. Aufl. S. 197.)といふカントの最高原則に於て言表された先驗的なものは、若しも單に認識の構造に對して妥當する制約のみを意味するにすぎない時は、換言すれば人間の認識作用のうちの先驗的制約を指すに過ぎないならば、それは特に人間的なものの人間的種の領域を出でざる所の先驗的・心理學的意味しか贏ちえないであらう。先驗的なものは、認識若くは經驗に先行し、それを可能にするすべてを含むものであつて、この意味に於ては超絕的な存在を指示してゐるのでなければならぬ。併し先驗的なものは、カントに於ては、先驗的究明に於ては明かにされえずしてその形而上學的究明に於て超絕的なものに其の根柢をもつべきものとされた。哲學の原理的根本根柢としての超絕的なものの究明こそ哲學の端初にとつて大切な事柄であるのみならず不可缺なるものであると思考する我々は、其れを人間的な評價の外に存する所の超對立的な領域に於て明かにせねばならぬ。

フッセルの現象學は、先驗的意識を領域的なもののうちに考察した所の特別なる意味に於ける先驗的問題の探究と見られる。從つて彼の現象學は先驗哲學と同じく先驗的意識或は純粹意識の地盤に立つものと言はれる。而て其の根本問題は機能的問題即ち意識對象性の組織の問題である。然し先驗的に純粹なる意識確立のために採用された純化作用が、思惟的主觀の領域に止まる限り、この主觀は縱令純粹と性質付けられても、單に表象能力の樣相のみでは所詮、純化の目的は達せられてゐない。現象學は先驗哲學と同樣先驗意識の純粹性より成立する限り、如何にその純化作用を根本的に遂行するも人間的意識より離脱しえない。卽ち現象學が思惟する主觀にその觀點を置く限り、此處に於て觀られた對象は、思惟主觀との對立內にある對象であるより外なく、從つて實在性は其の本來の意味に於て問題とされ得ず、精々在るところの諸性質が把えられるに過ぎぬ。其の本質直觀や性質把握の固有なる方法であるアポレチク (Aporetik) は、畢竟するに如何に人間が世界認識を支配し得るかの問題より離れ得ず、其れ故、かゝる研究はいかに精細を極めても、思惟主觀がその種に從つて可能である所の限界を越えることは出來ぬ。これを要するに現象學と雖も人間的主觀によつて構成される限り、尙相對主義、人間中心主義の埒內にあるを免れえない。現象學は自然的態度の排除によつて純粹意識に其の地盤を求めたのであるが、其の純粹意識なるものが、人間的なものの種に於ける把握、表象、知覺等の在り方を意味する限り、其の自然的態度の排除は、却つて存在的超越より內在的なものへの轉向によつて著しく主觀化され、特に人間的なものへの還元を結果した。素朴的な自然的態度は排除されるよりも寧ろ其の本來的な對象的客觀面に於て深化さるべく、また先驗意識への還元に伴ふ所の人間的な態度は却つて括弧に入れらるべきであらう。我々は、總じて人間的なものの種に由來する一切の主觀性更に主體性をも「作用の外におく」ことによつて、一切の人間的な判斷の外に存する超對立的な眞理自體を顯揚し、それに於てのみ哲學論究の眞正なる端初を確立しようと思ふ。

ソクラテスは、哲學論究の端初に「無知の知」(Wissen des Nichtwissens)を置いた。彼の哲學の方法は、一見簡單の如く思はれるが實は一つの知が交附されるまでには多くの知が犧牲にされてゐる故「無知の知」は多くの知を前提してゐる。彼の

「無知の知」は單なる憶見より概念的知識に到る自覺の方法であると云はれる理由がある。然しソクラテスによつて哲學論究の根柢とされた「無知の知」は、單なる憶見交換としての個人體驗事實と解さるべきではなく、談話の長き道程に於て憶見に潜む矛盾を發見する彼の辨證法の基礎的原理と看らるべきであらう。

プラトンは、眞理への途は人間的なものの原則的拒絕によつて即ち心靈を重くし混濁にするものを淸めることによつてのみ開かれると看た。憶見の差別性若くは同等、不同等などの非有に於ける動搖する判斷の根柢たる持續的永遠的統一としての眞理は、概念の本質に從へる何らかの恆常的なもの、普遍的なものでなければならぬ。而て眞理のかゝる普遍性、恆久性はプラトンもソクラテスも同樣に判斷現象、認識現象に於て求められたのではなく、立場を越えたる超越領域に於て成立するものなるを明かにせんとした。アリストテレスに於ても、眞なるものの本來的領域は、眞僞の間を動搖する認識に於ては與へられずしてあらゆる眞理の認識を越えたる存在の本來的領域に於て求めらるべきことが主張された。

上述の如く古代に於ては、眞理の存立領域たる超越的なものに關する超越論

(Transzendentalismus)は、カントに於ける樣に、如何にして(Wie)把握が始まるかを問題とするのではなくして、永遠なる眞善美に歸依する爲めには時空的雜多表象に煩はされた人間的現實的認識より離脱する所の、彼岸的なものではないがしかし認識より獨立せる所の前認識たる認識の原理の何(Was)であるかを問題とするにあつた。從つてカント的先驗的制約の下に於ける眞理への方途は古代の知らざる所であつて、カントの目的とする所は眞理存在の根柢を究明するにあつたのではなくして單に眞理認識の方法に關するものたるに過ぎなかつた。

デカルトに於ける哲學思索の出發點たるコギトの命題は、ソクラテスの無知の知と同樣なる意味をもつものであつて、彼の所謂方法的懷疑に依つて、人間の判斷强制に對する無關心、卽ち特に人間的なものの立場より評價されたる諸命題よりの完全なる獨立、あらゆる內容よりの純化を原理的に確立することを意圖し、其れに依つて哲學論究の眞實なる端初を獲得せんとした。

古來著名なる幾多の體系家は、彼等の哲學論究の端初を得るための方法として純化方法を使用したのであるが、それにも拘らずかゝる方法は强調されなかつた。然し純化の方法は、論理的なものへの顧慮に於てなされる時は、論理的に確立されたる形式や規範より脱し得ず、遂には傳統的な論理主義に終らざるを得ない。換言すればこの純化の方法は、命題と命題との對立によつて漸次に其のより根據的なものへ推論され、遂には何ものも先行するもののなき純粹なる根源(Ur-sprung)に立ち到る、といふが如き仕方を示すものであつて從つてかゝる方法に於て確立されたる端初は依然論理的思惟の領域を脱せるものではない。カントの純粹理性、フィヒテの自我、ヘーゲルの非有の如きは尙かゝる論理的推論によつて得られたものと見做されうる。純化の方法が其の哲學論究の端初獲得の意義をもつためには、かゝる純粹な論理學の意味に於ける根源を目指すものではなく寧ろかゝる論理學的根源の根本的前提としての存在的根柢を目指すことによつてのみ可能である。この意味に於ける根源により接近せるものを、我々はカントに於ては純粹理性論よりも其の二律背反論に於て、フィヒテに於ては自我であるよりも其の反立たる非我に於て、ヘーゲルに於ては、非有よりも有に於て看取し得よう。

　而て最近に於て上述の諸家よりも更に一歩進めるものとして我々はボルツァーノやラスクに於てかゝる哲學の端初の爲めの原理的討究を見出しうるのである

が、我々の究明せんとする超對立的なものの領域に於て存在する眞理自體より觀れば、此等は更に止揚さるべき前提をなすものたるに過ぎぬ。卽ち向後に於て一々問題にさるべき夫々の眞理の問題の結果を先豫的に述べることが許されるならば、我々は、ボルツァーノの眞理自體なるもの (Wahrheit an sich) は、若くは自體眞なるもの (das an-sich-Wahre) は、主觀的なものよりの內容の獨立性を意味するが、其の內容なるものは孰れも尙對立的なものの領域にあるものであつて、超對立性の無內容的眞理は確立されてゐない。又、ラスクの超對立的對象は、內容的なものを超えたる超對立的領域の範疇を示すものとして存在的なるものをも透徹するものであるが、尙論理的概念を脫せるものではない。

哲學論究の出發點への還歸の方法としての純化方法は、先づ論理的なものに始まり、論理的規範に向けられるが、遂には論理的媒介によつては達せられざる根源に突き當る。其れ故この根源はコーヘンの如き純粹思惟の生產的根源と解せられてはならぬ。如何なる哲學體系と雖も論理的なものに先行する前論理的なもの (Vor-Logisches) を豫想せぬものはない。何となれば論理的なものを言爲することは前論理的なものを其の根本豫想とせざるを得ないからである。

然らば論理的なものの秩序の外にある前論理的なものは如何なるものであるか。其の論理的なものに對する關係は何であるか。論理的なものは合理的であるが、しかし前論理的なものは、直ちに非合理的ではない。對概念としての合理的と非合理的は論理的なものに於ける肯定的、否定的關係であつて、其の規準は依然論理的なものに於て見出される。これに反し、前論理的なものは、論理的なものの否定たる非論理的なもの(Nicht-Logisches)を意味するのではなくして論理的なものの肯定・否定關係によつては到達し得ざる所の論理的秩序の外にあるものの謂である。この意味に於て其れは超論理的なもの (Meta-Logisches oder Über-Logisches)と言れるべきであらう。前論理的なものと論理的なものとの關係は、論理的關係では表示されえざる全然超論理的關係であつて、其れ故、前論理的なものに於て存する哲學の端初としての根源は、コーヘン的な論理的根源を意味すべきではなく、其れは眞理論的意味に於て語らるべきである。前論理的なものの概念に於ける「前」(Vor)なる前・性格(Vor-Character)は、論理的なものに先行し、論理的なものに對して其の地盤缺損を指示する性質を言表するものである。從つて論理的なものは、この前論理的なものを缺く時は、その存立の地盤が無く、結局單なる抽象的形式に終らざるをえない。又、若しも前論理的なものの單なる論理的前提であるに過ぎざる時は、其れは畢竟するに論理的なものの埒内を出でるものではなく、其のため其の論理的なものの根柢たる本來の意義を失ふ外ないであらう。其れが論理的なものの成立の制約であるべきであるならば、この制約は論理的モメントではなく、如何なる推論、演繹及び法則的論理的論結によらざる所のあくまで不可論證的な根源でなければならぬ。論理的に規則付けられたる思惟は發源(Sprung)を有ちうるが根・源(Ur-sprung)ではあり得ない。論理的な發源は、論理的なもののうちに於ける一部分から他の部分への移行過程が能ふのみである。上述のことよりして我々は前論理的なものの一本質的表徴として、論理的なものの否定の結果であるとか、其の論理的制限性とかを意味するのではなく、論理的關係では說明し得ざるところの論理的なものに對する無關性(Gleichgültigkeit)を擧揚しうる。又、論理的なものの概念、判斷、推論及び範疇等が、自己の中に閉ぢられたる自己完結的な諸構成要素の間に成立つ肯定・否定、眞理・誤謬、矛盾・無矛盾等の如き常に對立的、內容的なものの領域に於ける判斷的論理的關係であるに對して、前論理的なものは、斯かる判斷內容より獨立せる、また論理的なものより超絶せる所の、從つて無對立的若くは超對立的なる其自らに於て存在する自體存在的な諸本質的表徴を有つことを我々は指示しうる。然らば斯かる內容的なもの、對立的なものに對して無關係な無內容性、超對立性を其の本質とする前論理的なものの論理的なものに對する關係は如何なるものであるか。論理的なものに對する其の關係は無關係的であるといはれるが、其の無關係的關係は如何なるものであるか。

カント哲學に於ては、一般に形式は素材に對して異るものなるも此の兩者は互に無關係ではなく、形式が根柢にあつて素材を構成するのがカント哲學の一特色である。此のことは、形式は素材が感性的(sinnlich)であるに對して、超感性的(übersinnlich)であるといふÜber oder Transzendentに其の基礎をもつ。即ちカントに於ては超えるもの(das Transzendente)は、一般に超えられるものの根柢にあつてそれを基礎づけるといふことの主張であつた。然しカントに於けるTranszendentは先驗的意味と形而上學的意味に於て語られたのであるが、先驗的演繹論に集注した彼の先驗哲學は、形式を如何にして經驗に妥當ならしめるかが其の主要課題であつた爲めに、形式は感覺に超在するのではなく感覺の根柢にあつてこれを基礎づけるものを意味した。時間、空間は認識主觀に關はりなく實在的にあるものとして看られる所から、我々の思想を純化ならしめることによつて、一般に此等のものの存在的性質を明かにせんとして問題となつたのが所謂形而上學的究明であつた。卽ち先驗的演繹論は更に此の形而上學的究明に於て却つて其の基礎的地盤を有つことゝなることをカントは明かにせんとしたと見られるが、其れは單に消極的な準備的研究に留まつた。從つてカントに於ける超越的なもの(das Transzendentale)は、形而上學的なものよりも先驗的なものの方の意味が強く、其れは感覺を超えるが、常に感覺に結び付きうる所の感覺と密接な關係に立つものであつた。また物自體は、カントに於ては可思惟的で不可認識的であるを意味した其の限りに於て、其れは存在的なものであるを意味したのではなく、主觀的なものと客觀的なものとの條件の同一卽ち兩者の形式的同一性を保證する所の限界概念を指示するに過ぎなかつた。其れ故、カントに於ては形而上學的·超越的なもの(das Metaphysisch-Transzendente)は超·感覺的なものと同樣に常に主觀的內容的なもの卽ち內在的なもの(das Immanente)との對應に於て考慮せられた。而て意識の綜合作用の統一に對しては、主觀と客觀或は對象とは彼の最高原則が示す如く其の條件の形式的同一性の故を以て、論理的統一が先行するとせられた。此處に於て明かに看取せられるが如く、形而上學的超越的なものは、論理的なものとの相關々係にあつて、之れを正當付ける役割をもつ限り、尙對立的なもの、內容的なものの領域にあると言はざるをえない。我々はかゝる論理的な內在的なもの、內容的なものに對して全然無關係に超絕せるもの(das Transzendente)を前論理的なものの領域に於ける本來的なものたることを揚擧し、併せて其れが內在·超越(Immanenz-Transzendenz)の關係には立たざる所の、而かも內在と超越とが其れに於てのみ存立する地盤たることを論究せねばならぬ。

此の意味に於ける超絕的なものは何であるか。論理的なものの本質は、根據と論結(Grund und Folge)との間の必然的關係に存し、而てかゝる必然性の支配する領域が論理的なものの內容若くは實在性を成してゐる。傳統的な論理的なものにその範型を取つた先驗論理的なものの內容は從つて形式的論理的關係を出でたものでは決してなく、先驗論理學の內容たる範疇は、超對立的對象を意味するラスクの範疇まで展開されても依然論理的概念を脫するものではない。論理的概念に非ざる眞なる意味に於ける超絕的なものは、判斷の肯定否定の關係に立たざる所の、また先驗論理的なものの如く如何に其れを超對立的對象まで展開しても依然論理的概念を出でざるものとは異りたる、あらゆる内容性、對立性、相關性に對しては無内容的超對立的、無相關的な其れ自ら自體に於て存在する所のものでなければならぬ。斯かる前論理的な領域に於て其自體存在をもつ超絶的なものは存在其のものに外ならぬ。而て存在其のものは、學の一切の基礎的原理的根柢である意味に於て語られる時、常に其れは眞理•存在（Wahr-Sein）である。斯かる眞理存在の一切の眞理認識の認識關係のうちに立たざる所の超對立的な其の純粹眞理性を意味するものとしての眞理自體の概念は如何なるものであるかを我々は徹底的に究明せねばならぬ。

四

デカルトは彼の所謂方法的懷疑によつて一切の存在を疑つて遂に疑ひ得ざる懷疑其のもの即ち疑ふ自我の存在の絶對確實性に到達し、かくて彼の哲學の根本命題をなす「我思ふ故に我在り」或ひは「我疑ふ、我思ふ故に我在り」が確立された。

この命題は、一切のものが疑はれても斯く疑ふ或は思ふこと其れ自身が自我存在として絶對確實的に存在するといふことの言表であることは周知の通りである。我々が此處に於てデカルトを引合ひに出す所以は、彼の方法的懷疑によつて得た此の根本命題が哲學思索乃至論究の端初に對して、ある根本的事實に觸れてゐるからである。卽ちデカルトは、端初の論究の根柢に必然的に存在するものの存在事實性が、絶對確實的な自我存在の自己明證性に於ても顯現するものなるを認め、且つ彼に於ては遂行されずに終つたとは言へ、斯かる根本事實に還歸せんとしたことは、我々の此の論究にとつて暗示多きものであると言はざるを得ない。

然らばデカルトの根本命題に於て顯現されてゐる根本事實とは何であるか。我々の論述との關聯の下に彼の根本命題を問題にすることは、從つて彼の根本命題の一解釋に過ぎないであらうがしかし我々の意圖せんとするものへの一手引として彼の根本命題を利用することにする。

哲學論究の端初と看做される彼の根本命題に於ても必然的に顯示する或根本事實は、彼の方法的懷疑よりすれば斯かる事實も疑へば充分に疑ひ得るものなるも、少くもかゝる事實を疑ふ懷疑其のものの存在するといふ事實を前提せねばならぬ。其れ故、一般に如何なるものを如何なる方法によつて疑つても必然的に其の根柢に存在するものの存在事實性を豫想せざるを得ない。換言すれば如何なる眞理認識如何なる眞理探求の意欲の中に於ても必然的に顯現する存在するものの事實性は人の認識すると否とを問はず嚴然と其自らに於て存在し、而かも人があることに就いて云爲する際、必然的に其の根柢として前提せざるを得ない所のものである。デカルトは彼の懷疑法によつて此の存在事實性に觸れたにも拘らず其の解明に到り得なかつた。然らば彼の根本命題の確かめ得たものは何であつたか。思ふ自我の存在の確實であるといふ自我存在の概念は、彼に於ては作用と對象、主觀と客觀、一般には認識するもの(das Eerkennende)と認識に來るもの(das Zu-Eerkennende)との合一の根本事實として、此れには思索する主觀作用其自身が同時に思索の客觀的對象をなすといふ哲學的絶對自覺が言表されてゐると見らるべきであらう。

デカルトに於ける自我存在の概念は二つの意味に解されうる。第一に其れは疑はるべき對象の存在事實を指すのではなくして、疑はんとする意識が、自己明證的に意識の統一的聯關として明晰判明的に意識內在的に實存するといふ自我觀念を謂ふ。斯かる自我觀念の自己明證的存在の仕方はあくまで意識的現象的在り方であつて事物一般の存在とは其の存在の仕方を異にする故に其れとの全般的契合は有りえない。第二に自我存在の槪念は、此の事物一般の存在の仕方と同一的或は共通的なあるものであることを指すものとして自我觀念と明別されねばならぬ。此の意味に於てそれは、自我觀念の如き意識自我の現象の根柢にあつてかゝる現象を生起せしむる實在的なる存在の仕方に於て存在する基體的自我或は實在的精神實體を意味する。自我存在は意識事實としての自我觀念であるよりも寧ろ意識自我を存立せしむる實在的自我實體を指すべきである。デカルトは、彼の根本命題を「我思ふ卽ち我在り」(cogito, sum)とも言ひ換へてゐるが如きは自我存在の第二の意味を指すものとも解されうるのであるが、彼は何よりも直接的に明晰判明なる自我觀念を重要視し、之れのみが絕對確實的なる基本原理であるとなしてこれに絕對存在を歸屬せしめた。從つてこの自我觀念以外の存在は總べて疑はしきもの、不確實的なるものであつて自我觀念によつて基礎付けらるべき第二次的存在とされた。此の爲めに第二の意味に於ける自我存在卽ち實在的精神實體若くは基體的自我は其の徹底的追求に於ては存在其のものに到達すべき可能性を充分示したのにも拘らず遂に單なる消極的暗示に留つたことは、彼の哲學がその端初に於て思惟を極力存在に向けた最初の意圖に反して存在そのものを喪失する結果に終つた。彼は不可疑的に確實な眞理の把握と存在の把握とは其の根源に於ては一つであつたが、しかしこの哲學の根本命題に於てその芽生を見出した存在はその深さまでに探求されず、自我觀念の如き現實的存在の獲得の彼の熱情の爲めに、遂に充實されたる存在のあらゆる形態は失はれてしまつた。この存在の喪失は、凡ゆる懷疑を入れざる所の必然的確實性に於て存立する地盤の喪失を意味するものに外ならない。

デカルトは理性若くは自然の光(lumen naturale)に對して包括的全能を要求したのではなく、彼は人間的認識の限界を認め、其れが總べてを把握し得ざるを知つてゐた。「實に神のみが完全に知る、卽ち總べての事物の完全なる知をもつ。」(Descartes' Werke, hrsg. v. A. u. T. IX. 2. Teil, S. 2.) 其れ故彼は包括的な全體の解明への通路獲得と目される彼の根本命題の眞理規準を求めて、自我の明證知能と神の存在との循環論法に陷つたが結局神の證明に於て、また其れに基いて「我在り」の存在の究極的保證を求めんとしたことは、正に存在そのものの探求の後退を將來せざるを得なかつた。其の爲めに、哲學論究の端初獲得の爲めの彼の命題は、根本的懷疑よりの出發と共に理論的見地を目標とする思惟の客觀的思考徑路のみを辿る所の論理的硬化の爲めに其の存在把握の本來的な意味を失ふに至つた。

然らばデカルトのコギトの命題が此處に於て問題とされる所以のものは何であるか。我々が、今後の我々の論究にとつて必要と思はれる限りのものを指摘し且つ解釋せんとしたのは、此の命題が、論理的判斷の實質問題に關するものゝなく、凡ゆる理論的なるものの成立根柢に思惟する自我觀念の事實的に存在する、といふ純粹事實性の是認に關すると見做されうるからである。此際自我觀念の觀念內容の眞正なるか誤謬なるかの判定が問題であるのではなく、此の如き判定の對立契機を超えたる觀念の純粹事實性其のものが問題である。眞正判斷も誤謬判斷も此の如き純粹事實性に關する限り、其の孰れも超對立的又は無對立的眞理自體に於て存在するものとして顯明されねばならぬといふことに對する暗示を我々はこの命題より讀取らんとするのである。

デカルトの「認識」の注目すべき特性をなすものは、彼の思想の全領域が判斷の明晰判明性に基けられ、更に其れは一つの數學的公理論によつて基礎付けられたといふことである。彼は、ある事態を指向せる判斷はこれを可能にするある知が先行せねばならぬとなし、故に認識の本質的固有性は無前提的ではなく、常に既知より未知へ進むが如き認識の構造を確立せんとした。從つて彼に於ける眞理問題は、常に一定の内容を言明する命題の確立にあつたと見られざるを得ない。

デカルトは我々に、論理的なものと前論理的なものとの間の區別によつて獲得されたる彼の根本命題は、哲學論究の出發點への還歸の方法を彼の方法的懷疑によつて示さんとし、而てこれによつて、認識が建てられるべき地盤は、判斷によつて與へられるのではなく、對立的に置かれる所の判斷の前提をなすものに於て求めらるべきことを指し示さんとした。彼は斯くて論理的な地盤からの決定的轉向を「自然の光」の概念によつて表はした。この概念は、彼に於ては論理的なものとは全然其の性質を異にする所の判斷の眞正及び誤謬より獨立せる前論理的なものとして、論理的對立性の彼岸に存するものたるを意味する。即ち正・誤の彼岸に存する所の前・論理的なものへの途は、この自然の光によつて導かれるべきであることを示す。彼に從へば自然理性は、判斷より前に我々が判明に知る所のものを我々に告げるものの謂に外ならぬ。從つて判斷に於て言表される知を可能にする所の、換言すれば判斷の制約を與へる先行知或は自然理性は決して判斷には與へられずして判斷の前提的根柢たるべきものである。

デカルトの根本命題に於て言表されたる、彼の哲學の出發點たる思惟に於ける存在の自己確實性は、爾餘一切の命題の演繹、存在及び我々にとりての眞理を可能にするものを意味した。この思惟存在(Denkensein)の自己確實性と結付きうるものは總べて「我在り」と同樣に現實的であり、眞であるべきである。外界一切の存在と我存在(Ichsein)とは不可分離的に結合してゐる。夫故眞實には、彼によつて意識(cogitatio)から不可分離的であると示されるものは、判斷作用としての思惟、肯定・否定の自由を言ふのではなくして、思惟の根源に沈滯しつゝ其等を超えたるもの、卽ち單なる意識內容の多樣性を意味すべきでなくして認識者たる自我存在に於ける斯有事實性としての自然の光を顯揚すべきであつたのである。然し、デカルトの自我意識の斯有事實性が單に敍述されたる認識事態に於ける先行を意味するものなる限り、依然其れは事態的性質を出づるものではなく、心理學的に觀察せらるべき現象の領域への轉落を示すこととなり、遂にかゝる自然の光の事實性の根源的確立はなされえなかつた。彼が其れを自我意識の明晰判明な命題に於て求めんとする限りに於て、判斷・事實 (Urteils-Tatsache) の明晰性が要求されてゐるのではなくして、單に判斷・事態 (Urteils-Sachverhalt) の明晰性が要求されてゐたに過ぎない。從つてデカルトの自我意識に纏はる判斷事態の言表は尙對立的判斷の領域に哲學思索の端初が置かれたといふ誤解を招く危險性を十分にもつものである故、斯かる內容的モメントの意味を脫しえざる所の自我觀念は、更に實體的精神、更には存在其のものにまで徹底されなければならぬ。彼の要求せる不可證明的、確固不動的な眞理は、判斷事態とか判斷事例とかには關係なく、即ち判斷の內容事態乃至命題の明晰判明如何に關係せず自立的存在であるべきであるが、しかしこれを認識より見る場合常に存在するものに即在する純粹事實として顯現するものでなければならぬ。この點より看てデカルトが哲學論究の端初として確立せる根本命題は、結果に於て尙內容的なものの領域に留まらざるを得なかつた。然し彼が彼の方法的懷疑によつて示せる存在するものの純粋事實の暗示は重要視さるべきものであらう。

　デカルトは正しき哲學論究の端初を示したにも拘らず、判斷事實の根柢として神の實體存在に遁れた爲に、判斷に先行する知に關する重要なる思想を遂行し得なかつた。其れ故に我々はデカルト的命題の正しき端初に戻らねばならぬ。この前提されたる知は、判斷に先行するも何等かの仕方に於て自己を顯現する所の究極的な根源(Ur-sprung)として先取されうるものでなれけばならぬ。明晰且判明性は、自然の光の實在的內質を形造るものとして自我觀念の明證知能たることを示すのに對し、この自然は非論理的事實的前論理的なもの等を言表すべきである。デカルトの「我思ふ卽ち我在り」(cogito, sum)は對立的領域に屬するものに非ざる所の斯有事實性を表はさねばならぬ。何となれば「存在なき時は懷疑もない」をも充分に意味しうるからである。我々はデカルトの根本命題は、內容的なもの、對立的なものに存せずして無內容的なもの、超對立的なものに存すべきであることを强調し、擴充することによつて、眞の意味に於ける哲學の端初たるべき根本命題は、內容的な命題に屬するところのものより獨立的であることは勿論、また認識形而上學的・存在論的(Gnoseologisch-ontologisch)に成立するところの對象性や對立性よりも自由であること、それ故、此等諸要素の斯有 (Sosein) を表はす所の眞理自體に於て成立するといふことを明らかにせねばならぬ。

五

哲學論究の端初に於て論究せらるべき概念にしてまた哲學其のものの原理的根柢たるべき眞理自體の概念は、言表の眞正なるか誤謬なるかの如き眞正判斷と誤謬判斷との對立にある判斷內容に關する事柄ではなく、斯かる對立的契機を原理的に越えたる超對立的若くは無對立的なものの領域に於ける自體的存在事實に關する概念である。此の如く對立的契機に對して全然無關的な、獨立的な存在である眞理自體は、對立的な契機の理論鬪爭の法庭に於ける夫々の權利主張を正當に主張せしめる所の根柢としてあらゆる對立的なものの權利獲得の爲めの根柢的前提たるべきものである。從つて其れは權利の問題の前提的な事實として、一切の權利主張、判斷其のものの斯くある事實 (das soseiende Tatsache) の純粹事實性として顯明されねばならぬ。而て我々は眞理自體の本質的表徵として、自體獨立性、論理的なものの對立的契機に對する純粹無關性及び超對立性若くは無對立性の三つを先豫的に擧げることが出來る。我々は、後述に於て其れ自體に於て積極的に明かにさるべき眞理自體の達成の媒介的方法として先づ我々の行論を對自的に進めることにする。

ボルツァーノは、諸個別科學全般を通じての一般理說を附與する共通なる根柢として眞理自體なるものを立し、其れの解明を彼の知識論(Wissenschaftslehre)の根本問題とした。

ボルツァーノは先づ判斷作用と其の內容卽ち命題との區別より出立し、命題自體(Satz an sich)の確立より漸次に眞理自體を顯明せんとする方法を採つた。彼に從へば眞理なるものは、表象されるものと表象或は觀念との一致の謂ではなくして、判斷作用より獨立せる寧ろ其の前提たるべき自體的に存立する內容卽ち命題自體でなければならぬ。卽ち眞理の探求は、表象や概念の比較または結合に成立つのではなく、命題の諸要素よりそれ等を命題其のものにまで純化すること、更には眞理自體にまで命題が高まりゆくことに對して妨害となるべき一切を排拒することによつて達せられるのである。

扨て、彼によれば命題自體なるものは、其の成立要素たる表象自體を基礎として其の上に成立する。而て表象自體の自體たる所以は、其れが個々の主觀的表象作用の如き觀念的存在は勿論のこと、また經驗的な實在的存在とは全然無關的に存在する非實在的な純粹客觀的な意味たる點にある。其れ故、表象自體は主觀作用より解離されたる其れ自らの純粹客觀の內容的側面に存立するものとして、個々の表象主觀によつて只把握せられるのみである。然し表象自體のうちには未だ眞正とか虛僞とかの如き判斷性質が判定せられえない。眞僞の判定は表象を其の部分として包含する命題に關する事柄である。表象自體と表象作用とは峻別されねばならぬ樣に、命題自體も命題を言表する判斷作用より明確に區別せられねばならぬ。卽ち命題自體は、眞僞判別の判斷主觀の作用側面より區別せられたる純粹客觀的なる側面に成立せる判斷內容たるを意味する。命題自體の純粹性は、在るところのものを純粹に言表すること以外に何等附加物の介在せざる所の、換言すれば判斷主觀に屬する種々なる偶有的なもの、非本質的な附加的夾雜物より全然解離せられたる純粹自體性を言明する。命題自體は自體的に存立する斯有として、判斷作用に對して全然獨立的なる純粹客觀的判斷内容として存立するところのものである。命題自體の有つ積極的意味は、其れが單に非實在に存立するものの消極的言表に留まるのではなく、積極的に、其れは單に知性的思惟根柢を賦與するものとして、現實的意識の中に現前する主觀的知性作用を意味するに過ぎない所の言表せられたる命題」(der ausgesprochene Satz)とか「思惟されたる命題(der gedachte Satz)とかより明確に區別せらるべきを要求する。從つて命題自體は、「純粋定言的定立」(die reine kategorische Setzung)としてあらゆる現實的判斷の原理的前提をなす純粋な論理的概念其のものの純粋客觀的意味内容を表明する。(Vgl, Bolzano; Wissenschaftslehre I. B. S. 77)

命題の純粋化によつて得られたる命題自體の積極的なものを意味する所の、從つて命題自體の一種と見られたるボルツァーノの眞理自體の概念に於ては、其の意味内容の純粋客觀性の故を以て、判斷主觀一般に對する無關性、超越性及び獨立性、更には其の意味内容の同一性及び無相關性の如き諸本質的表徵が見出される。

哲學論究の本質は、判斷主觀の構成する意見又は思想の對立的相異の論爭を越えたる、人間主觀に特有なる諸要素から全然解離せられたる超對立的なものの領域の鮮明及び確立に存するならば、斯かる領域への到達方法は、論争の法庭に於て相拮抗する諸思想の眞僞の判定に求めらるべきではなく、存在するもののの斷有事實(das Soseintatsache des Seienden)を純粹に發見する方途に於て求むべきであらう。此處に我々が、哲學論究の原理的根柢たる眞理自體の概念の本質解明問題と眞理認識問題との混同または同一視に對して警戒すべきこと、卽ち眞理探求が純粹に成立するためには、主觀一般に所屬する諸夾雜物を排除することによつて、存在するものの純粹顯現たる斷有の根本事實を發見すべき方法を强調する所以が存するのである。

ボルツァーノの「眞理自體なるものは在るところのものの言表」(die Wahrheit an sich ist Ausdruck dessen, was ist)または「在るところのものの言表として妥當するもの」(als Ausdruck dessen gilt, was ist)更には「在るところのものの確信」(das Gewissen dessen, was ist)等の如き純粹なる判斷內容として存立するもの、卽ち其れは純粹意味內容若くは純粹論理的價値といふが如き純粹な論理的概念として語られた。然し我々の要求せんとする眞理自體の概念は後述に於て明かにされるが如く、かゝる判斷內容の如き純粹意味內容ではなく、存在するものの斷有事實性でなければならぬ。斯かる斯有事實性は判斷內容として存立するのではなく、判斷內容に於ても顯現すべく而かも此の判斷內容の對立的契機を超越せる領域に於て存するものでなければならぬ。然るにボルツァーノの意味する存在するものの斯有事實は、在るところのものを或規定せられたる事態に於て、即ち眞正なるか誤謬なるかの如き判斷價値に關して純粹に把握せる判斷內容を意味し、而てかゝる判斷內容は、主觀的判斷作用に對して無關的獨立的であるとせられた。

彼の眞理自體はこの意味に於て超相關的眞理であるが、しかし判斷內容に於て眞正判斷と誤謬判斷とが相對立する限り、命題自體の一種と看做された眞理自體は、虛僞自體と並立的、相對立的にある外なく、從つて超對立的でありえない。此の如く判斷內容の意味に解せられたるボルツァーノの眞理自體の概念は、單に判斷作用に對する相關關係より解離せられたる超相關性を有つに過ぎず、其の超越性は精々判斷作用に對する判斷內容の超越を意味するに留まる。判斷內容其のもののうちに於ける對立的契機は排除せらるべきを理想とするも未だ原理的に超越せられえない。論理的領域を越えて而かもかゝる純粹な論理的意味の如き論理的概念の原理的前提たる純粹存在性を意味する眞理自體の概念は、ボルツァーノの眞理自體の概念の尙與り知らざるものと言はざるを得ない。何となれば彼の眞理自體なるものは、判斷內容の純粹性として、判斷作用に對する超越性乃至獨立性を示し得たが、判斷內容の兩契機たる眞正判斷內容と誤謬判斷內容が判斷性質として相對立する限り、此處で言はれる超越性は單に判斷作用に對する超越を意味するに過ぎぬ。何者、斯かる判斷內容の相對立する兩契機は、其れを越えて存在するものの斯有事實の超對立的領域に於て顯揚さるべきであるからである。ボルツァーノの意味せる存在するものに卽在する眞理は、形式的論理的規則に從つて演繹されたものでないが、其れが判斷內容、若くは斯有存在を言表せる命題自體として語られる限り、依然論理的概念を離脫せるものではない。換言すれば彼の眞理自體の概念は、判斷內容としての純粹自體的に存立する意味內容、または存在するものの斯有の或規定されたる事態の把握された內容的なものに關するものであるを指示する限り、其れは判斷內容に於ける對立契機より解脫せるものではなく、從つて對立を越えたる彼岸に存在する眞理自體の領域は彼にあつては尙閉ざされてゐたと言へる。

命題自體の中に於て言表せられる所の彼の眞理自體は、既に述べた如く虛僞自體に對立する所の對立的內容的主張であり、或規定せられたる內容に關する事態である限り其れは眞僞、正當不正當の對立より自由でありえない所の二者擇一の支配下にある。從つて其れは或一定の內容の言表であつて存在するものの斷有事實ではない。卽ち彼の「自體」(an sich)は眞理其のものの特性を示さず判斷內容の二契機の相關を說明するにすぎない。斷かる判斷內容の相關契機は純粹客觀的意味內容の相關性に於て考察されたものである故、其れは單なる主觀客觀の一致に於て眞理を看んとする一致說に比して、其の眞理觀は大なる進步を示すも、超對立的な、相關性一般に對して無相關的な眞理自體は、ボルツァーノに於ては遂に到達されえなかつた。

然しボルツァーノが彼の眞理自體の本質解明に於て示せる二つの重要點は、哲學思索の端初解明にとつて極めて緊要であることを、我々は特に留意すべきであらう。我々は、其の第一として、哲學思索或は哲學論究の本質をなすものは、認識するものの思惟の束縛より全然自由なる所の、卽ち人間特有なるものの彼岸たる眞理自體に基くべきことを指摘したこと、第二に、眞理自體は、憶見の判定ではなくして、在る所のものの斷有事實に於て成立つものなるを指示したことを彼の重要なる功績として擧げうるであらう。

六

我々は、眞理自體の超對立性或は無對立性の領域は判斷の眞僞如何には全然無關的に存立するものなることを前に於て指示した。又、眞理自體の本質たる自體性なるものは、實に斯くの如き相互に對立する存在を越えたる無對立性及び論理的なるものに對する前論理性を意味することを述べた。眞理自體概念の解明には其の達成の爲めに、方法的に、論理的なるものに對する前論理的なものの特殊的な關係並に兩者の明確な區別を明かにすることは、極めて有效なる方途と考へられるところより、此の主旨の下に我々は前にボルツァーノの眞理自體の概念を、今此處に於てはラスクの超對立的範疇領域を我々の解明せんとする眞理自體への媒介に探ることにする。

カントは學的認識の可能性の根據の所在を求めて其れを先驗的事實に於て求めた。從つて形式・內容の構造(Form-Inhalt-Gefüge)に於て成立つ所の彼の認識論は、形式と內容若くは主觀と客觀との兩者は別のものでありながら而かも兩者の結合によつてのみ認識が可能となるといふことを意味した。而て彼はこの形式と內容若くは主觀と客觀との結合の可能性を保證するものを、單なる論理的關係に於て求めたのではなく其れを先驗的事實に於て求めた。彼に於ては、形式の內容に結合しうるは、常に形式が內容の根據に橫つてこれを構成するからであつて、別言すれば形式によつてのみ經驗が可能となるのである。從つて此れは、形式は其處にたゞ見出されるといふのみではなく、內容若くは素材を構成する能作を營み得ることを其の性質として有つこと、卽ち素材の根柢には常にかゝる先驗的事實が存することの認定の言明であるに外ならぬ。形式が素材を構成することを單に論理的關係より其の理由を明かにすることは、素材は常に形式によつて構成さるべきものとなつて、形式の外に在る內容は無意味となり終るより他ない。カントが先驗的事實の見地より、形式は素材に對して異るものなるも此の兩者は互に無關係ではなく、却つて形式が素材の根柢にあつて其れを構成するといふことは、素材(內容)が經驗的(empirisch)、感覺的(sinnlich)であるに對して、形式(範疇)は先驗的(transzendental)超感覺的(übersinnlich)であるといふ其の超越

の性格 (Ueber- oder Transzendent-Charakter) が、或ものを超越することは却つて其れに於て其の或ものとの緊密なる關係に置かれること、即ち一般に越えるものは、越えられるものの根柢にあつて、其れを基礎づけると言ふことである。其れ故、形式と內容との夫々の形態と意義とを明確に區別すると共に兩者の內面的結合の問題がカント哲學の中心問題であつた。斯くて形式と內容、主觀と客觀との結合の爲めに何らかの條件の同一がなければならぬ。此處に於て認識の可能性の爲めに、主觀的なものと客觀的なものとを形式的條件の同一性によつて結合せんとして案出されたのは、彼の所謂經驗一般可能性の制約と經驗の對象の可能性の制約との同一であるといふ最高の原則であつた。從つてこの原則に於て言表されたる同一は主觀と客觀との實質的同一ではなく、あくまで相異る兩者の結合し得る爲めの條件の同一である。カントは、彼の純理批判の先驗的演繹論に於て、此の形式が如何にして經驗に妥當するかを其の中心課題として、遂にこの最高の原則を建てるに至つた。從つてこの原則に於て示されたる所の先驗的意識の綜合作用の統一に基く形式と內容との結合は、第三者が單に二者の結合の機緣を與へるに止まり、其の論理の基く根據を示しえざる所の判斷の論理學に於ける判斷圖式の示す範疇(形式)と經驗(內容)との關係とは嚴密に區別せらるべきものなることは論を俟たない。換言すれば、カントが先驗的演繹論に於て、意識の統一的綜合若くは統覺の綜合的統一に於て、對象の構成的條件を求め、而てこの意識の統一の最高の原理たる時間の圖式性によつて、主觀と客觀、詳言すれば直接的所與の經驗と經驗を越えて存在すると考へられる對象との結合の同一の條件を論究することに依つて建てられた彼の最高の原則は、形式と內容との、意識の綜合作用に於ける統一に對して其の論理的根據を示す所の論理的統一が先行し、其れに基くものなることの表明として、形式と內容との結合の條件の同一性に關する彼の先驗的究明の結果たるを示し、斯くして彼の認識論は先驗的論理學に基けられてゐたのである。

然し、超越の性格は元來超越されるものの根柢としての超對立的なものの性質を言表すべきことは屢〻述べた通りである。故に其れは、先驗的(transzendental)を意味するに止まらず、認識の內容に對しては無相關的な自體的に存在するものの本質の表明として、また超絕的(transzendent)をも意味するものでなければならぬ。カントは、時間殊に空間の如きは、認識主觀の其れに關する認識の有無に關らず、其自體に於て存在すると考へられる所より、我々の思想を純化することによつて此等の存在的な性質を明かにせんとする意圖を持つたものが、所謂彼の形式と內容との條件の同一に關する形而上學的究明であつた。この意味に於て彼の先驗的演繹論は、却つて形而上學的究明に於て其の成立の地盤を、卽ち存在的なものに其の根柢を仰ぐと言はねばならぬ。然し、カントに於ける認識の主要問題は先述の如く、形式・內容の結合關係より見んとする純論理的傾向が強く、其の徹底と見られる先驗論理學に於ては一切の客觀を主觀の構成より解かんとした爲に、形而上學的究明に於て看られた認識の根柢としての存在的なものは、遂に認識の範圍外に殘された。

斯くして論理主義の徹底は、凡ゆる認識を形而上學的本體若くは實體と其の屬性との關係より、または文法上の主語と述語との關係より看んとするのではなく、卽ち認識は、實體若くは主語が其の屬性若くは述語との結合に於て、また逆に屬性若くは述語が實體若くは主語に於て存するといふことに成立つのではなくして、實體も屬性も、若くは主語も述語も共に一つの論理的なものに於て結合せらるべきもの、卽ち兩者共に論理的なものの構成的要素たるに過ぎぬといふことでなければならぬ。從つて論理の本質は、主觀と客觀、または主語と述語とを素材として兩者の間に妥當するところの形式を明かにするに存する。此の如き論理主義は、超經驗的なもの、前論理的なもの、總じて存在的なものをも論理的認識の領域に引き入れんとするものであつて、所與の素材を形式によつて構成する其の論理作用に於ては、存在は單に認識或は判斷の繫辭(コプラ)を意味するに過ぎず、此の立場よりすれば判斷の外にあるものは、其の前論理性に於て明かにされえないことになる。

カントの先驗論理學は、單に經驗界乃至存在界の認識論として自然認識の諸範疇の發見を其の問題としたのに對して、理論的なもの全般を通じての理論形式一般即ちロゴスの論理學の建設せんとしたラスクの哲學は、カントの先驗論理學に狹隘を感じ、此れを擴張して存在界のみならず妥當界若くは價値界をも同時に包括しうる「哲學の論理學」(die Logik der Philosophie)を顯揚することに努めた。カントの認識論の論理學に於ける自然認識の諸範疇がラスクのロゴスの論理學に於て其の根據を有つものとして更に吟味さるべきであることは、いはゞ認識論其自らの哲學的反省を意味するものであつて、其れはカント的批判の徹底と稱せらるべきであらう。

カントに於ては、形式と內容とは認識の二契機であつたが、それ〴〵異れる二つの世界に屬するものとして夫々異れる存在性を有つものとせられた。ラスクはカントと同じく先驗的立場に立つたのであるが、形式・內容の問題の解決に對して、純粹にロゴスの汎主宰といふ汎論理主義の見地より彼はカントの二世界說を排棄した。卽ち存在界と妥當界の相互透徹の立場より觀れば、形式・內容の構造は夫々異れる世界に屬するものではなく、同一なロゴスの世界を構成する二要素であることを意味するに過ぎない。斯くてカントの二世界說は、彼のロゴスの論理の世界の二要素說にまで徹底された。

存在界に於ては、存在概念はあらゆる存在するものの形式卽ち存在の領域の領域範疇(Gebietskategorie)である。かゝる存在範疇其のものの認識の可能の爲めには、彼の二要素より看れば、當然更に存在の形式に對して形式の形式(Form der Form)となるものがなければならぬ。かゝる存在界の形式の形式たる上位の形式は、此の下位の形式を自己の素材となすものであり、其れに向つて對妥當する(Hingelten)ものである故に、其れ自らは、妥當界の根本形式として妥當するものの形式であると同時に存在するものの形式の形式たることを意味する。逆に存在範疇たる存在形式は、存在界の素材に對しては形式であるが、妥當界に於ては妥當するものの素材たるべきものである。斯くてラスクに於ては、理論的なるものの理論形式一般の最高形式たる形式の形式は、妥當の領域の領域範疇形式であつて、其れは彼の哲學の考究の全對象領域を形成する所の存在界と妥當界との兩對象領域を通徹する形式として最高の構成的原理を意味する。而て存在の形式は、存在界と妥當界の兩領域の中間に介在して兩領域の相互貫通の媒介をなす二重的役割をなすことによつて、カントに於ては相結び付かざる二世界は、ラスクの斯くの如き二要素說に於て示される兩階層構造によつて階層的に連絡されるに至つた。彼のロゴスの論理學は此の如き妥當界の領域構造或は形式と內容との同一の理論的意味の世界の構造を究明せんとするものであつて、其の攷究の對象をなすものは、彼がカントの先驗論理學の擴張に基いて得られたる所の其れ自體絕對に妥當する所の從つて非妥當なるものの介在を全然許さざる所の純粹妥當するものとして超對立的に自體的に存在する對象である。斯かる超對立的なる自體的對象領域の構造形式の論明を其の課題とする先驗論理學は、此の意味に於て對象論理學としてあくまで超對立的、超主觀的、且つ原本的なる「對象的現象」或は原像を問題とすべきであつて、對立的、主觀的且第二次的なる「獲得的現象」或は模像を問題とする判斷の論理學の如く主觀的關係の領域を其の考究對象とするのと異つて、純粹客觀的對象領域を其の研究對象とする。斯くして純粹客觀的な對象領域と主觀的なる判斷領域との兩領域は原理的に截別せられねばならぬ。何となれば先驗的對象なるものは、判斷の對立的契機を超越したる、從て主觀一般に對して無關的な領域に於て存することを表示すべきであるからである。

ラスクの上述の如き超對立的對象自體の論理學を意味する先驗論理學若くは對象論理學の對象の概念は、第一に自體的超對立的價値として存する根源現象、第二に原本的根源的なる對象現象の領域、第三に原像の諸概念を含有する。此れに對し、判斷對立性の論理學たる判斷論理學の對象概念は、第一に價値判斷に於ける對立的價値現象、第二に對象獲得的領域、第三に模像の諸概念を併有することを我々は一括して指摘することが出來る。而てラスクによれば、判斷論は對象的範疇を自己の目標とすることによつて自己を哲學の論理學の領域に高めねばならぬこと卽ち判斷論は判斷の對立的契機を超克して必然的に對象的範疇論を其の原理的前提とすべきことを說いた。

今、判斷の領域の構造を看るに、判斷は肯定か否定かの二者擇一の態度決定を必要とし、而てこの決定卽ち判斷作用には適中性と錯誤性なる對立が生ずる。更に判斷作用の適中性と錯誤性に對應して其の規準たるべき正當性と不正當性なる判斷の意味が對立する。更に判斷決定の第一次的客觀として眞正性と反眞正性とが成立する。この兩者は判斷領域を超出せる超對立的なものとして存在するのではなく、尙判斷的な價値對立を形成するものたるに過ぎぬ。斯くの如き價値對立的なる判斷領域を越えたる所の對立的契機の存せざる超對立的對象の如き更に高次なる對象を求めて、ラスクは判斷領域を純客觀的超對立的領域にまで導き、かくして判斷の論理學は哲學の論理學若くはロゴスの論理學を其の根柢に必然的に豫想すべきことを論明した。

ラスクは前述の如くカントの認識論を更に哲學的に反省することによつて哲學の論理學を建設した。而て彼の二要素說に由るカントの二世界說の徹底より見れば、カントの如く認識主觀に依る對象の構成は許さず、判斷の主觀性は、單に原本的對象の構造を技巧的に破碎し、之れを主觀性の形式たる反省的範疇によつて再統一するに存するに止まる。卽ち判斷領域の範疇は其の構成的機能は認められず、單に反省的に模像の再統一作用が承認されたのみである。此れに反し純客觀的超對立的な對象領域は對象構成的な範疇の領域であつて、此處に於ける範疇形式と範疇素材の兩要素の結合は何等の媒介作用を俟たずして直接的に結合せられて自體的に獨立的に存立する。この事は對象自體が其れ自らの成立の爲めに何等の認識作用を必要とせず、從つて其れはかゝる主觀作用を超越したる超對立的獨立的なものたることを意味する。ラスクによればカントのコペルニクス的業績は、認識主觀が認識對象の立法者たることを意味することに解せらるべきでなく、寧ろ先驗論理的なものが對象の全領域を支配すると云ふ論理的なものの汎主宰を意味すると解すべきである。斯くてカント哲學に立脚せる彼の哲學は遂にカント的でなくなり、從つて先驗論理學はラクスによつて其の本來の主觀的傾向を喪失せしめられて純粹客觀論理的なる意味を賦與されるに至つた。而てこの根本的超對立的對象は結局一切の價値對立性の究極的規準原理と看做された。

カントに於ては、先驗論理學の對象たる先驗的對象は、認識主觀の悟性形式たる範疇によつて構成されたる現象觀念であり、主觀が立法者である彼の哲學にあつては、對象領域は判斷主觀によつて構成されたるものなる故却つて判斷領域を其の原理的豫想とした。これに反して、ラスクに於ては、同じき先驗論理學の對象たる先驗的對象なるものと言ひても、カントの其れとは異れる意味を賦與された。即ちラスクの對象領域は判斷主觀により何等侵觸されざる根本的根源的現象として自體的に存立するものであり、從て判斷領域は却つて對象領域を其の原理的前提とするとされた。對象領域は、存在界と妥當界とを包容し、兩領域を透徹する其自體超對立的な世界であり、而て存在領域と妥當領域とは、全對象領域を成立せしむる構成的領域範疇である。これに對し判斷領域は、獲得現象を成立せしむる主觀的範疇の領域であつて、この範疇は構成的な意味を有ち得ずたゞ反省的な意味をしか有ち得ない。故に、單の悟性判斷論理學の判斷對立性の論理學は、ラスクによつて必然的に超對立的論理學、即ち純粹客觀論理學としてのロゴスの論理學或は哲學の論理學にまで展開されるべき必然性にあつたのである。

扨て、眞理自體なるものは、論理的なものの領域を越えたる前論理的領域に存すべきものであつて從つて其の自體性は、判斷領域に於ける肯定・否定の對立は勿論のこと、また判斷決定の直接的規準たる正當性、不正當性、更には第一次的客觀たる眞正性、反眞正性の如き判斷意味を成立せしむる意味成素からも區別せらるべき所の超對立性若くは無對立性、無相關性及び無內容性を意味すべきであることを我々は前述した。此の點より看てラスクの超對立的對象なるものは、我々の意味せんとする眞理自體の概念と全體的に契合するであらうか。今迄觀察して來た如く、ラスクの判斷主觀性を越えたる領域に存立する所の超對立的對象は、全對象領域を包括する最高形式としての妥當概念或ひは純粹客觀的意味自體自體たることを意味した。カントの先驗論理學の擴張によつて獲られた所のラスクの純粹客觀的意味自體は、其の超對立性に於て我々の明かにせんとする眞理自體に甚だ接近せるものなるを示すも、尙、其れは依然カントの言ふ所の一種の先驗的事實と見らるべき純粹論理的概念であると言はねばならぬ。從つて其れは我々の向後に於て論究せんとする眞理自體の純粹事實存在の概念とは契合しない。

前述の如く、ラスクは、論理學が妥當または價値の概念に基いて建てられた論理學である限り、其れは常に妥當性と非妥當性、價値と非價値との二者擇一の態度決定に留まざるを得ないとなし、かゝる判斷の論理學は更に彼によつて超對立的對象の範疇の領域の範疇論にまで展開されざるを得なかつた。卽ち判斷領域を立ち出ることによつて、正に其の故を以て妥當或は價値概念と對立性の概念との問題混合が克服されうる。卽ち妥當性と非妥當性との對立を超えたる無對立的な思惟によつて、價値と非價値との對立を超えたる無對立的價値が建設さるべきである。ラスクに於ては、對立性の超出は、判斷の地盤を超えたる範疇の領域への超出を意味した。從つてカントの認識批判論を更に哲學的反省によつて認識論の批判學を意圖した彼の哲學の論理學は、判斷領域を超えたる所の此の如き範疇の領域を地盤とする範疇論であるに外ならぬ。其れ故、彼の哲學の論理學或はロゴスの論理學なるものの本質的課題は、妥當または價値の對立的契機に於て成立つ所の判斷の領域と根源現象としての超對立的範疇の領域との明截なる區別の下に、何處までも超對立的な範疇の領域を其の地盤として先驗論理的諸原理を論明するにあつた。

既に觀た如く、ラスクは判斷領域の對立性の超出に彼の論究の出發點を取ることによつて範疇領域の超對立的な根源・現象(Ur-phaenomen)に到つたのである。然し彼の意味せるこの根源(Ur)はあくまで論理的なものの根源であつて、我々の言はんとする所の前論理的なものの根源を意味するのに非ざることは明かである。我々が哲學論究の發始を存在するものの斯有事實(Soseintatsache)に取らざる限り、換言すれば前論理的なものより出立せずして判斷的なものまたは論理的なものより始める限り、縦令其れが先驗論理的であるにしても其處に於て發見せられたる根源は、其れが如何に其の究極的なものであるにせよ、結局論理的概念を解脱し得るものではない。ラスクに於ては、判斷論は其の規準を價値論に、更に價値論は其の規準を範疇論に求め、斯くて範疇形式と範疇素材との直接的關係にある範疇の領域に於て超對立的對象が其の最究極的なものとして立せられ、かくして其れは一切の對立的契機に對して超對立的であり得たが其れは存在的であることが出來ず何處までも論理的である外なく、従つて此處に於て看られた超越は存在的超越でありえず、先驗論理的超越を意味するに過ぎなかつた。

一般に眞僞、價値非價値の如き論理的判斷價値に於ける否定的概念たる虛僞或は誤謬及び非價値の概念は、其の內容に關しては然るも、其れが斯くある事實(Sosein-Tatsache)としては常に眞であるといふ存在事實を我々は率直に承認せざるを得ない。此の如く一切の存在するものに卽在する眞理存在の根本事實なるものは、我々が如何なる立場に立つにせよ、またその知ると識らざるを問はず、我々が或ものに就いて云爲する限り、必然的に前提せらるべき眞理存在の根本事實たることを示す。眞理自體は、斯かる眞理存在の純粹眞理存在性を意味し、學一般の原理的前提たるべきものである。此の眞理存在を其の純粹性に於て原理的に解明せんとするのが所謂眞理論の根本課題である。哲學論究の端初を如何なるものに取るかによつて其の哲學の立場が根本的に決定されるものである故、我々が學的哲學全般への通路として最も包括的究極的なる眞理自體を哲學論究の原理的前提として提唱せんとする所以が實に此處に存するのである。哲學の端初を超對立的な眞理自體に採らずして對立的なものまたは論理的なものに取る時は、超對立的なものの前論理的なものへの通路は斷たれ、其れ故立場性の狹隘性、制限性を脫しえざるに到るであらう。對立的なものの論理的なもの總じて存在するところのものに卽在し、極潛勢的ではあるが、眞理存在の根本事實として自己を顯現する眞理の斯有事實は其の純粹眞理性に於て究明されねばならぬ。從つて我々は、對立的なものと超對立的なもの、論理的なものと前論理的なもの、內容的なものと無內容的なものとの關係を如何に看るべきであるか。此れを眞理論的な辨證法によつて解決することも向後の當然問題とさるべき重要な事柄の一つであらう。

七

我々は、哲學の理念は世界全體に關する知であること及び斯かる全體知は眞理知でなければならぬことを前述に於て指摘した。從つて究極的な根本原理の學としての哲學は、究極的全體の眞理全般に關する原理的認識を其の理念とする所の究極全體眞理知に關する學的組織に於て成立する。其れ故、我々は哲學の根本表徵として第一に究極全體知に關する認識體系としては、究極原理によつて統制されたる究極原理的知識體系の學であること、第二に究極眞理知に就いての認識原理の批判學であることとに分けて考へることが出來る。哲學を其の體系方面より看る場合我々は其の認識の廣汎性を要求するものであり、其の批判の側面より語る時、其の認識の深刻性が求められる。而て哲學の體系と其の批判とは不可分離の關係に存するものである故、哲學認識の內容たる哲學體系は、常に哲學思索乃至哲學論究の哲學的主觀の自覺的反省に待つて確立され且批判されねばならぬ。此の意味に於て哲學は哲學主觀の絕對自覺の學と言はれる所以が存する。

我々の主題に關する限りに於ては、かゝる哲學主觀の自覺の問題や認識原理の批判の問題は當面の問題とはなり得ない。何となれば眞理論の原理的解明を主眼とする此處に於ては、たゞ單に哲學問題と眞理問題との關係に對する眞理論的根本關聯の特性の指示に止めねばならぬからである。

前述の如く總じて學一般の問題は結局「眞理とは何であるか」を何等かの意味に於て問はんとすることに歸着する。科學一般の根柢、併せて其の自らの根柢をも問はんとする原理學としての哲學は、從つて「眞理とは何であるか」の眞理問題を一般普遍的原理に關して究明せんとするものであり、其の限り哲學の問題は眞理全體の問題とならざるを得ない。既に觀た如く、一方、「哲學とは何であるか」なる問は根本的には「眞理とは何であるか」によつて始めて解決せられる。また他方、「眞理とは何であるか」は哲學の究極的問題として哲學論究の哲學的認識を通じて始めて一般的に解答せられる。このことは哲學問題と眞理問題との相互補足的な不可分離の關係に立つことの證示である。哲學問題も眞理問題も共に究極的眞理認識の獲得といふが如き眞理探求意欲の中に生起する根本共通現象として、兩者は究極全體眞理知の把握を目標とする哲學の理念によつて統合せらるべきである。眞理の何たるかを究極原理的に全般的に問ふ哲學問題及び其の眞理認識とを純粹問題的に追求せんとする眞理問題の綜合としての哲學一般若くは純粹哲學は、眞理認識の理念體系であると言はれる。

「眞理とは何であるか」が哲學のみならず總べての學の究極的問題對象とせられる理由は、眞理は一切の對立的な内容的なものに無關的に全然獨立的・超越的な眞理自體として獨自的に存在するといふ眞理の斷有事實性に據つてゐる。哲學問題は眞理問題に、更に眞理問題は眞理自體の問題に依據せねばならぬことは、一切の學問が眞理自體なるものを其の問題の究極對象とすることによつて、眞理認識を獲得せんと意欲するからである。眞理自體の何なるかを何等かの意味に於て把握せる、學的問題の追求によつて到達せられたる學的知識としての眞理及び其の認識過程にある眞理認識と、あらゆる學の原理的前提たるべき眞理自體とは、明確に區別せらるべきことを我々は屢次述べて來た。眞理自體が其の純粹獨立的な超對立的無内容性に於て其の眞理認識一般に對して全然超越的なるものとして存在するといふ其の存在事實性に據つて、其れが一切の學的な問題學的探求の動因として、眞理認識獲得への一切の學的意欲を其の純粹な形態に於ては哲學的主觀の自覺的反省として顯現せしむるものなることは我々によつてデカルトの根本命題の考察に於て指摘されたが如くである。

我々は眞理自體問題と眞理認識問題とを明別する必要がある。この兩領域の混同によつて眞理自體の存在問題と眞理の認識問題との紛糾錯綜が惹き起され、其の爲め哲學史上幾多の學説の誤謬發生の可能的原因の伏在するを我々は窺ひ知ると同時に、また我々は兩領域に存する夫々の固有本質が明確に區別されることによつて、哲學史上の學説の諸々の誤謬を根本的に超克することが出來よう。哲學史上の二大範型的誤謬と目されるものとしては、第一に、認識論的乃至知識論的哲學の如く、元來超越的領域に於ける眞理自體を意識內在の領域に押込むことによつて其の固有なる獨自存在を奪ふことに於て示される誤謬及び實存哲學に於ける樣に、本來單に意識內在の認識領域に止まるものを超越的な眞理其のものとして通用せしめんとする認識其のものの不當なる擴大によつて惹き起される誤謬を、第二に、存在するものを單に存在的に探求せんとする實在論やまた存在するものの眞理をではなく存在の眞理のみを問題とする存在說(Seinslehre)に於て看られる一面性と抽象性とに於ける誤謬を指摘することが出來る。

人間の判斷或は認識は、本質的には眞理自體を其の究極的對象として目指す所の眞理探求の意欲によつて獲得されたものに過ぎざるものを同時に其れを眞理其のものと誤つて主張する一般的傾向をもつ。換言すれば我々は眞理探求の意欲に成立する眞理認識の內に把握された眞理自體に關する意識狀態を以て直ちに眞理其のものと一般に誤つて主張し勝である。我々の眞理若くは我々にとりての眞理たるに過ぎざるものを直ちに眞理自體と思ひ違ひするところに、判斷若くは認識の誤謬可能性が伏在する。我々は超越的領域と對立的領域とを峻別する必然性を見極めることによつて正にかゝる誤謬の克服の原理が提示せられうるのである。併し認識の當初に於ては、眞理認識の全行程を通じて而かも其の終局に於てのみ明かにせられる眞理自體が既に把握されてゐなければならぬといふ哲學上の根本的アポリアが所謂「未知の知」の問題として正に哲學其のものの内容をなすものとして其の解決を迫まるものなるを前に於て明かにした。一般に疑問乃至問が哲學的疑問乃至問として問題となる場合問ふこと其自身が勝手氣まゝの問でなく、眞理認識に關して何等かの意味をもつべきものであるとせば、斯く問ふこと其自身の内に既に眞理が把握されえたとする明證意識が本質的に存在するばかりでなく、この眞理認識のうちに存する明證意識の斯くあるといふ事實性を示すものである。この事は實は既に眞理自體の斯有事實性の哲學的主觀の意識に於ける顯現として主觀作用の根柢に必然的に存することの表明であるに外ならぬ。我々は、眞理自體なるものは、眞理認識に於ては十全的に把握されえないといふ正にこの事實によつて、超越的な眞理自體の無内容的超對立的な獨自存在なることと、主觀的眞理認識の對立的な内容的な認識領域に屬することとの兩領域の本質的差異の原理が見出されると共に、兩領域間に成立する本質的關係をも正當に把握することが出來るのである。眞理自體の眞理認識の成立根據として我々は次の二つの意味を擧げうるであらう。

第一に、客觀對象として眞理自體が眞理認識の根柢とせられる場合に於ては、眞理認識は、眞理自體を何等かの意味に於て把握せる內在的意識狀態であつて、認識が眞理認識として妥當する爲めには眞理自體を其の探求の窮極對象として志向せねばならぬことを意味する。卽ち眞理自體なくしては、認識の根柢が失はれる。其れ故眞理自體は眞理認識可能の爲めの根柢とせられる。而て此處に於ては眞理認識一般に對して眞理自體は無關的な純粹存在事實性として存在的超越に於て存在する。

第二に、眞理認識なるものは、認識主觀の眞理探求の意欲によつて成立するものである。斯かる認識主觀作用が其れに依つて構成される意味內容と異つて、常に主體として存續する所以のものは、卽ち作用其のものの斯有は作用の基體としての眞理自體が其の認識の直接的內在的根據とせられてゐるのである。かゝる場合眞理自體は、此處に於ては認識內容に對して內在的超越に於て語られてゐる。

眞理自體は、其の超越的な獨自存在である故、其の眞理認識との關係は、全然認識作用の側の志向關係によるものであつて、換言すれば認識が眞理認識たらんとする爲めには其の究極的對象として眞理自體に關係づけられ、其れを眞理認識の成立の根柢とせざるを得ないのである、がしかし超越的存在としての眞理自體其のものは斯かる關係に對して全然無關的である。

其れ故、眞理認識と眞理自體との間の關係は、一種特異の關係に於てある。即ち眞理自體は其の純粹無內容性の故に眞理認識に對して全然無關的であるべきであるに對して、眞理認識は其れを根據として常に眞理自體を自己の根柢に前提せねばならぬといふ關係である。

上述に於て明かにした如く、眞理自體と眞理認識とは明別されねばならぬものたるにも拘らず、兩者の混同或ひは同一視され易き傾向の存する爲め、單に人間特有なる實存的存在の仕方で以て凡ゆる存在を推定し、從つて人間的實存には全然無關的なる超越的な存在までも人間的實存の枠內に押入れんとする實存哲學は、尙人間中心主義的な立脚地にあると言はねばならぬ。

八

古來哲學的思惟の要求は、臆見の差異性の領域を去つて無對立性若くは超對立性の領域に接近せんとするにあつた。此の領域は、ヌツビッゼによれば「眞理自體」(Wahrheit an sich)の領域でなければならぬ。而て彼の所謂眞理論(Aletheiologie)はアリストテレスの「第一哲學」(ἡ πρώτη φιλοσοφία)と同じく存在と思惟の原理を與へるにある。然しアリストテレスの第一哲學に於ては眞理の問題は退けられたのに對し、ヌツビッゼは眞理の原理的研究によつて存在及び思惟の根本原理を確立せんとした。然らば彼の眞理論に於ける眞理自體の概念の本質をなすものは何であるか。

哲學論究の端初たるべき眞理自體は勿論變易極りなき單なる事實に於ては見出されない。彼によれば對立的なもの若くは論理的なものの領域に於ける事實の分析に於て確立された斷有事實(Soseintatsache)の諸契機は、實は眞理自體の領域の根本事實(Grundtatsache)を意味するものであつて、從つて眞理自體の概念はこの根本事實の分析によつて顯揚されねばならぬ。例へば、我々は同一判斷に於て、其れが誤謬であつても判斷作用の斷有事實としては眞であることを認めざるを得ない。此の如く、同一の判斷に於て誤謬・眞正の二要素が認められるといふことは、論理的矛盾でなからうか。卽ち同一の主觀に對して矛盾的表徵が同時に述語されるといふことは、論理的原則に反しないか。このことは論理的地盤に立つ限り正に矛盾である。然し我々は、かゝる内容的なもの、對立的なもの、從つて單なる論理的なものの領域に屬するものとしての判斷の可誤謬性を含み得る場合の判斷内容と無内容的なもの、超對立的なもの從つて眞理論的なものの領域に屬すべき虛僞判斷の判斷・斷有 (Urteils-Sosein) との間の區別を明確にせねばならぬ。卽ち前者は判斷の虛僞性として論理的なものであり、後者は判斷の斷有事實性として眞理論的なものである。斯くの如く同一の判斷に於て見出される論理的命題と眞理論的命題とは其の對立的形成にも拘らず矛盾に立たざることは、この兩者の間には更に深き根柢の存することの一證示と見られる。

我々は兩命題の根本的特徵として次の如きを指示しうる。

(一) 判斷の論理的意味は、對立性の地盤に立ち、或一定の事象、内容に關するものであり、從つて內容性が其の特性を示す。其れ故、其れは論理的矛盾律に從はねばならぬものたるに對し、判斷の斷有事實を言表すべき眞理論的命題は、對立性の彼岸に存し、各〻の判斷の適合または不適合に就ては無關的（gleich-gültig）、無內容的（inhaltlos）である。

(二) 上述のことによつて明かなる如く、論理的命題は內容性に於て成立するに對し、眞理論的命題は無內容性に於て存するといふ相異が見られる。

(三) 二者擇一といふ二つの可能性の間を動いて止まざる判斷にして始めて成就に向はんとすること（Zustandekommen）が言はれ得る。此れは卽ち判斷が、二つの對抗する可能性を退け、爭はれざる肯定を主張せんとする二者擇一的努力を其の特性とする所の、對立的現象より自由にならんとして尙全く自由でないといふことを其の性格とするに對して、眞理論的なものは、「成就其のもの」（Zustand selbst）として、判斷の成就への努力を其の自己の促進的性格とするとは異り、すべてが其等がある通りにあるといふ斷有事實性（Soseintatsächlichkeit）に於て既に成就せる所の超對立的對象である。

上に於て看られる如く、主觀の同一の判斷に含まれたる契機として、論理的な成就に向はんとするものと眞理論的な斷有事實的成就其のものの各〻の根本的表徵を明確にすることは、眞理論の討究にとつて極めて重要な事である。判斷に於ても顯現する眞理論的諸契機は、超對立的な眞理論領域に於ける根源としての眞理自體の自體性たる其の純粹斷有事實性に於て明かにされねばならぬ。蓋し眞理論領域に於ける其の諸契機は、對立的な事實的地盤に於ける諸契機とは其の存立の次元を異にするからである。

我々は上述の如き事實的地盤の考察によつて得たる諸契機を新しき研究領域たる眞理論的領域に於ける眞理自體の概念の根本表徵として次の如く示すことが出來るであらう。

㈠　眞理自體なるものは、判斷が論理的諸原則一般特に矛盾律に從はねばならぬのに對し、これ等諸原則を超越し、それ等に對して無關的である。

㈡　眞理自體は、判斷が內容的現象として存在するものを自己のうちに取り揚げ從つて其れを內容として考察するに反し、何物をも自己の內に含まぬ故に無內容的である。眞理自體は、純粹な斷有事實性であつて而かも判斷なるものをも此の如き事實性として包括する。

㈢　判斷の領域に於ては存在は判斷に對立する。存在は判斷にとつてたゞ對象として存する。對象と表象との間に本質的區別が存するに應じて、對象的存在の存在論理性(Ontologizität)と表象されたる存在の認識論理性(Gnoseologizität)との本質的區別が存在し、判斷なるものはあらゆる場合に於て對象と表象との相關々係(Korrelation)を出ることが出來ぬ。これに反して眞理自體は、無内容的なものとして無相關的(irrelational)であつて、何物も其れに對立するものなく、從つて其れは何等の對象をも有たない。卽ち眞理自體は無對象性從つて其の無内容性を其の特性とする。

㈣　判斷は判斷決定の肯定或は否定の二者擇一的決定の確固たる足場獲得への努力を自己の促進性格とし、常に對象性が其の本來的現象である。これに對して眞理自體は旣に確固たる足場をもち、あらゆる存在の斯くあるといふ斯有事實性に於て存する超對立的現象である。

上述の如き諸表徵によつて眞理論的なものの本質概念從つて眞理自體の自體性の概念が明かにせられ得たであらう。この自體性の概念はヌツビッゼに於ては、ボルツァーノの其れの如く對立(Gegenüber)を立出でざる所の對立性にあるのではなく、またラスクの如く超對立的なものとして特徴付けられ得たが其れは尙論理的概念を意味するに止まつたのとは異り、對立を超えたる而も論理的概念の超對立的なものに非ざる所の、從つて內容的諸契機の結合には全然關係を有たざる所の、無內容性及び超對立性の斯有存在性によつて始めて表明されうる概念である。眞理自體の何物も自己のうちにもたないといふ意味に於ける無內容的なものには「前」とか「對立」とかが屬するのではなく、たゞ斯有存在性或は自體性に於てあるのである。而てこの自體性は、眞理論的超對立性を表明するに外ならぬ。この眞理自體の無內容性は更に無相關性にまで導かれる。內容の存するといふことは、それに屬する相關のすべての契機が與へられてゐる謂である。無內容性を其の本質的表徵とする眞理自體は從つて無相關性を其の本質的表徵の一つとしてもつ。我々は、眞理自體の諸表徵として無關性(Gleichgültigkeit)、無內容性(Inhaltlosigkeit)、無相關性(Irrelationalität)及び超對立性若くは無對立性(Uebergegenständlichkeit oder Uebergegensätzlichkeit)等を歸屬せしめ得る。而て我々は、此等の眞理自體の諸表徵を總括して完結性(Geschlossenheit)なる語で以て表はし、而て此の完結性なる概念の本質的特性を示すものとして更に單一性(Einfachheit)

と統一性(Eniheit)を擧げうるであらう。

眞理論領域に於て觀られる所の眞理自體の直接性を言表する語として、卽ち對立性の領域に由來する所の明證性、直覺及び直觀なる語よりの區別を示す語としては古語 θεωρειν, θεωρια が最も剴切である。眞理論的意味に於けるテオーリアは、對立性の領域に於て言はれる所の直觀、直覺の概念が常に直觀するものと直觀されるものとの對立を其の前提とする所の指向存在(Gerichtetsein)として、相關諸契機の現・存(Da-Sein)、變化的諸現象が示されるに止まつて、事態の本質卽ち非・現存(Nicht-Dasein)が其の根源に於て取扱はれるのではないのとは嚴密に區別されねばならぬ。從つてテオーリアは、指向存在をその構成本質とする先驗的現象學の本質直觀に非ざることは明かである。

テオーリアによつて示される眞理論的なものの統一性は從つて諸眞理の寄せ集め(Summe)や複合體を意味してはならぬ。また其れは、一より他への移行、また他より一への導出(Ableitung)、又は諸對立的要素の融和の成果(Resultat)としての統一化(Vereinheitlichung)を指示すべきでなく、其れはあくまで原理的に超對立的なもの(Uebergegensätzliches)、超雜多的なもの(Uebermannigfaltiges)、如何なる部分も內容も含まざる統一性たるを示す。換言すれば其れは對立せる雜多性の超克によつて得られたる統一性ではなく、非相關的概念としての統一性自體(Einheit an sich)である。この統一性は他者よりの全き解離にある所のプラトンの一者(ἕν)ではなくして、ライプニッツのモナドの如くその無內容の故に却つて世界全體の斷有性を再交付するものでなければならぬ。この意味に於て眞理論の核心をなす眞理自體の統一性は、內的相關の眞理の相關諸契機の統一性ではなく、從つて移行や推論による統一ではなく、此等相關的諸契機を超えたる統一性自體である。

上述の如く、眞理自體は統一性自體として存在するのであるが、ヌッピッゼによれば、眞理自體は存在するもの(das Seiende)を超えたるものではなく、何等かの仕方に於て存在するものの總べてに卽在する(am Seienden da ist)。存在するものと何等かの仕方に於て存在するといふことは眞理自體の本質を言表するよりも寧ろ眞理自體の認識を意味するものであつて、眞理自體は、非判斷的に或は非述語的に、たゞ存在するものに卽在するといふ斷有事實性を言ふのでなければならぬ。卽ち眞理自體の領域に於ける眞理論的なものの本質なるものは、演繹や移行に存するのではなく、從つて其れにとつては多者より一者を解放することや、また一者より多者の再交付の生起が重要であるのではなく、あくまで一者と他者との相卽を鮮明することが重要である。(Vgl. Schalwa Nuzubidse; Wahrheit und Erkenntnisstruktur, 1926. S. 74. ff.)

プラトンは、一者と他者との關係をピタゴラス主義に逃れることによつて、而てアリストテレスは形式・質料の構造によつて、プロチンは多者を一者の放出(Emanation) によつて解かんとしたが孰れも其の出路を見出し得なかつた。此等諸家の試みの共通の誤謬は、一と他との對立より其の出發點を取り、一より他、または他或は多より一への相互移行によつて兩者の統一を說かんとしたのに因る。此等に反し眞理論は哲學論究の出發點を「純化」(Reinigung)の方法によつて何物も始元せざる所の超對立的な無內容的な眞理自體の概念の原理の確立によつて獲得せんとする。上述によつて看取せられるが如く、「眞理論的なものの領域はすべての論理的可導出性卽ち可演繹性等の彼岸に存する。」(ibid. S. 76.)。從つて「この眞理論的なものの固有性は、また、此處に於ては上昇の道のみならず下降の道に至るまでも、論理的性質とは全く異れる他の途を取扱ふものなるに對する何よりの證明」(Ebenda)を與へる。

然し他方、ヌツビッゼは、純化によつて眞理自體までの上昇の道は方法論的には把握せられうるが眞理自體よりの下降の道は方法論的には把握されえず、たゞ存在するものに卽在してあるといふ眞理論的根本事實として、我々は其れを承認する他ないといふことを主張するのであるが、此の上昇と下降の兩道は、後に於て我々によつて問題とされるであらうが如く、眞理論的絶對辨證法の根據に基いて孰れも方法論的に把握されるものでなければならぬ。

然らばヌツビッゼの言ふ所の存在するものに卽在するといふ眞理自體と存在するものとの關係は如何なるものであるか。眞理自體は統一的存在としてすべての存在するものに卽在するといふ眞理論的根本事實は二重的現象である。(Vgl. ibid. S. 77.) 例へば、同一の判斷は、内容的には眞正なるか虚僞なるかであるが、しかし斷有存在性としては常に眞である。卽ち同一現象なるものを、上より觀れば總べてを包括する統一的存在或は存在系列として見えるが、下より看れば内容系列に見えるが如き二重的現象である。然し眞理論的根本テーゼの見地よりすれば、「同一判斷の斷有事實は常に眞である」といふことが言はれなければならぬ。従つて一判斷の眞僞に關する問は内容的または眞理論的見地の孰れにも立ち得るものであつて、眞理論の眞理性が問題とせられる此處に於ては、存在するものの實在的合致が問題であるのではなく、常に存在するものに卽在する斯有存在性を明かにする(sichtig zu machen)所の理觀(θεορειν)が唯一の問題とならねばならぬ。眞理論的根本事實を明かにする所の第一に重要なるものは、「たゞ一つの存在があり、而て存在するものの統一性は其の斯有に於て存立する」Ebenda)といふことである。このことは、先づ眞なる存在(das wahre Sein)があり、而て其れに並行して存在する存在(das seiende Sein)があるといふが如き自體存在者(das Ansich-Seiende)に對する主觀的表象の二重化を意味してはならず、眞理論に於ては、眞なる存在と存在する存在とが相卽すること、卽ち統一的存在たる眞理自體が、存在するものの總べてに卽在するといふ事でなければならぬ。第二に重要なる點は、總べての存在者(alles Seiende)は其等が在るところのものである。(Alles Seiende ist das, was es ist)といふ單一的命題である。而てこの單一的命題は二つの事實を表はすところの二重性をもつ。卽ち其れは、

(一) 總べての存在者は或物である。此處に於ては存在するものの事實(Tatsache) が强調される。

(二)　總べての存在者は其れが在る通りにある。即ち此の存在は斷くあつて而て他ではない。此處に於ては存在するものの斷有存在性が言表される。

ヌッビッゼはラスクに於けるが如く、感性的・直觀的なもの (das Sinnlich-anschauliche) として存在するものを對象的なもの (das Gegenständliche) としての存在より區別することによつて、存在するものと存在の可分性を正當付けんとする思想や、論理的な地盤に立つて存在の不可避的に非・存在 (Nicht-Sein) への移行を認めんとするヘーゲル的思考を退けた。彼によれば純粹に思考されたる存在は、要するに、空虛の概念であつて、存在は何處までも存在するものに卽在する存在性でなければならぬ。從つて存在するものは斷有事實的なもの或は斷有存在的なもの (das Soseintatsächliche oder das Soseiende) たるを意味し、また存在の斷有存在性は、存在するものに卽在する所の存在するものの規定性としてあることを指すのに他ならぬ。斯くて我々は眞理自體との關係に於て、存在するもの、斷有及び存在などの諸概念の相互聯關を次の如く言表することが出來る。統一的存在としての眞理自體の單一的存在概念は、存在するものに卽在する所の存在規定性としての斷有存在の概念であるに外ならぬ。此の如く存在、存在するもの及び斷有なる三概念は單一的統一的存在としての眞理自體概念に包括される。かくして總べて存在するものは、其れが存在するところのものであるといふ單一的命題に於ては、存在するものの存在規定性たる斷有存在性を同時に連帶するといふことが言表されてゐる。換言すれば根源統一性を表はすところの存在概念は、存在するものと存在性及び斯くあるものの斷有性の統一體としての眞理自體たるを言表するものに他ならぬ。斷有存在としての存在は、かの根源的統一性の二重化を意味すべきでなく、總べて存在するものの斯くあつて他でありえないといふ存在するものの斷有規定性として眞理論的意味に於て語らるべきである。存在するものに即在するといふ眞理自體の本質に基いて斷有は存在するものの若くは現存との結合に於てあり、存在するもの若くは現存は斷有によつてのみ成就に向ふ(Zustandekommen)ものである故、此の存在するものと斷有との關係は眞理論的辨證法たるを示す。此處に於ける諸契機の他在(Anders-Sein)は、「眞理論的意味に於ける他者として對立し、即ち其の綜合のより高き段階を準備する爲めに打ち勝たるべき所の他者に對する存在ではなくして、正に斷有に對立し而て其れに於て對立性の止揚に到達せる進展存在(Mehr-als-Sein)である。」(ibid. S. 79.)其れ故、現存に於て共存する斷有はすべてが其れがある通りにある規定性として觀念的、實在的及び存在論的存在としてでなく、眞理論的存在として最も現實的なもの(das Allerrealste)である。論理的演繹によつて定立せられるを其の本質とせざる所の一般に一切の論理的操作を超えたる領域に於て存在するものは、其れが存在する通りに存在する卽ち斷有的に存在するといふ存在の斷有事實性を意味する所の眞理論的存在たる眞理自體であるに外ならぬ。

我々は眞理論的存在の概念の二重要契機概念たる斷有概念と進展存在概念とを明かにすべき場所に達した。ヌツピツゼによれば、存在に於ては斷有と進展存在とが交錯する。卽ち「存在する總べては其れが存在するが如く存在する所のものである。」(Alles was ist, ist so wie es ist.)を言表するところの存在するものの斷有事實性(Soseintatsächlichkeit)の命題は同時に「存在するところの總べては、存在するのみでなく、また其れは存在するところのものより以上の或物であるべきである。」(Alles, was ist, nicht nur ist, sondern auch soll es etwas mehr sein, als was es ist.)をも言表する命題である。この存在概念に含まれたる斷かる契機は取りも直さず眞理自體の辨證法的本性を示すものに外ならぬ。眞理自體の辨證法的構造は、一方、「存在するものの總べては其れが存在する如く存在し、而て此の限りに於て其れは、いはゞ其れが存在するところのものより以上を含有することが出來ない。其の限りに於て他方、存在するものは、單に存在するのではなく、またそれが存在する如く單に存在するといふことは、其れが存在するところのものより以上の或物であるべきである。」(ibid. S. 83.) といふ二重本質性を示す。從つて存在の斷有事實に於ては、既に同時に存在の進展存在の事實が共存することが此れによつて言表されてゐる。此處に留意すべきは、この進展存在は存在するものの側面とか、其の上位に實存するとかを意味すべきではなく、ヌツビッゼによれば存在が存在する所では此の如き進展存在が現前に存在するのであつて、此處に於てのみ其の現存在が存立する。存在の概念が單に論理的な純粹存在の概念の空虛性を意味しない爲めには、其れは存在するものの概念より分離して考へられてはならぬ。また他方、存在するものの存在の仕方は、あくまで存在概念に於て始めて其の規定性を得べきものである。從つて現存(Dasein, Existenz)を以て唯一の對象規定性とする考へは、超對立的立脚地の缺乏に起因するものであり、眞理論的には「何が」と如何に」とは不可分離的に存在概念の斷有事實性或は進展存在性に於て絶對的に統合される。存在するものの事實性は、斷有存在性に於て存立し、而て正に此れによつて進展存在が同時に成立する。此の如く、存在するものをその斷有存在性或は進展存在性に於て把握することの重要なることがヌツビッゼによつて强調されたのである。彼によれば存在のこの進展存在の契機を看過せる所の存在するものを單に思惟的に把握せるエレア的思惟は精々思惟と存在との內的關係を取扱ふ所の認識論に、または思惟卽存在の合理論的形而上學的同一說に、或は單に存在するものの外的關係たる實在論的存在論に終るべき運命を負ふた。然らば存在するものの進展存在契機は如何なる制約の下に於てのみ可能であるか。存在するものの本質は、存在するものが單に其れがあるところのものであるのみでなく、自己自らの內に進展存在を有することをも同時に言表するといふことは、眞理自體の領域に於てのみ言はれることであつて、此處にあつては存在するものの斷有事實は既に進展存在が共に言明されるのである。存在が眞理論的存在として語られるといふことは、存在するものそのもの、或は存在するものの時空的に與へられたる或部分が眞であるのではなく、存在するものの斷有存在に於ける進展存在が眞であるといふことである。換言すれば眞理存在は存在するものの斷有從つて「より以上の存在」の外に其の固有の本性があるのではない。其れ故、前述によつて明かなる如く、「對立」の契機を缺き得ない所の對立の事實に眞理自體が由來するのではなく、其れは超對立性に於て其の保證を見出しうるものでなければならぬ。眞理自體の本質をなし、其の荷擔者たりうるものは、總べての現存(Existenz)を成立せしむる所の、存在するものに卽在する斷有從つて進展存在の契機に於て求めらるべきである(Vgl. ibid. S. 85.)。斯くて、眞理自體は存在するものに卽在する辨證法的契機たる斷有と進展存在とに於て其の本質的表明を觀ることが出來る。而てかゝる存在するものに卽在する眞理自體の辨證法的本性なるものは、對立性の根本的超克を意味するものであつて、從つて眞理自體の無內容性、無相關性及び論理的原則に對する無關性等の諸表徵を一括したる最根本的表徵と看らるべきであらう。既に看て來た如く眞理自體の超對立性は、第一に對立的諸契機を超えたる其の自體性に於て求めらるべきであり、第二に其の進展存在としての辨證法的契機に於て解明せらるべきである。

哲學は其の論究の發足點を先づ見出さねばならぬ。而て古來哲學の支配的考へは、對立的なものの超克に其の目標を置いて來たのであるが、この超克を可能にする通路を哲學論究に於て與へることに成功しなかつたと看做すヌツビッゼは、彼の眞理自體の概念に由つて、あらゆる學及び哲學其のものへの通路を確立せんと試みた。ヌツビッゼは對立的なものの超克に關して、フッセルの如く中性化によつて獲られたる全然無記なる純粹意識の現象學的根本領域に於て眞理・非眞理、實在・非實在の如き對立性の除去をなさんとするのでなく、またラスクの超對立的對象の確立によつて對立諸契機間の融和を謀らんとするのでもなく、眞理自體の辨證法的本性の確立と解明によつてなさんとしたと見られるであらう。換言すれば、超對立性の確立は、眞理論的には存在するものは其れが存在する通りにあること、即ち斯有的存在であつて其れより以上の存在ではないにも拘らず、直ちに現實に於ては既に其れがあるところのものより以上の存在であるといふ存在の辨證法的契機に於てなさるべきである。「存在するものの斯有に於て顯示される所の進展存在の概念は、論理的には矛盾として妥當し、かくて論理的な道に於ては採用され得ないところの諸契機を自己の中に統合する」

(ibid. S. 87.) 我々は此處に於て論理的領域とは根本的に異れる眞理論的領域の存することを認めなければならぬ。眞理論的なものの表徴は、消極的には論理的諸原則が眞理論的根本事實に對して無力であることを、積極的には虛僞判斷は論理的には虛僞たりとも判斷の斷有としては、常に眞たるべきであるといふ眞理論的事實の超矛盾性を、從つて此處に於て示さるべき眞理自體の辨證法的本性を證示するものなるに外ならぬ。對立的な諸契機の中性化(Neutralisierung)或は融和(Versöhnung)に眞理論の意圖が存するのではなくして、かゝる內容性、對立性の領域とは根本的に次元を異にする超對立性、無內容性從つて無相關性、及び無關性等が眞理自體領域の本質的重要表徵たることの解明に存すべきである

前述に於て我々は、超對立的存在たる眞理自體なるものは、存在するものに卽在する辨證法的契機であり、斷有と進展存在の二契機が其の構造契機をなすことを指摘した。眞理論的辨證法は、存在ずるものの斷有的に在るといふ存在の斷有事實を言表する定立たる斷有契機と存在するものは斷有的にある以上のものであるといふ存在の進展存在を言明する反定立としての進展存在の契機との交錯を、眞理自體の無內容性若くは無對立性に因つてすべての設立は同時に

其の止揚たることを意味する。存在するものは斷有的に存在する。しかし斷有的に存在する限り、「存在するところのものより以上である。」(Mehr als das, was ist.)といふことは、在るところのものの規定性は、存在するものに關する事柄ではなく、眞理論的なものに關するものの言明である。從つてこの事は、眞理論的には、「存在するものが眞理であるのではなく、其れが眞理として、即ち眞理の仕方に於て存在するのである。此處に於ては存在の眞理(Seins-Wahrheit)ではなくして、存在するものの眞理存在(Wahrsein)が主張される。」(ibid. S. 88.) 即ち存在(Sein)が眞理であるのではなく、存在するものと其れに即在して其れを限定する存在するものの存在性との辨證法的交錯に於て眞理がある。ヌッピッゼの言ふ所の斷かる眞理論的轉換(Aletheiologische Wendung)に於ては、同一のものが斷有であると同時にまた進展存在であることが可能である。眞理論的•辨證法的なもの(das Aletheiologisch-Dialektische)の定立は、既に其の反定立の内に存する。即ち「斷有は非斷有を自己のうちに含有し、而も此れによつてのみ成立が可能となる。」(ibid. S. 89.) 兩者は相互に其の本質を易へることなくして斷有は非斷有のうちへ、逆に後者は前者のうちへ相互滲透する。斷有と非斷有或は進展存在との夫々の本質を易へることとなき事實的相互滲透 (das tatsächliche Ineinandergehen) は、實に眞理自體の無內容性に基くものであつて、從つて定立が反定立を克服すべきではなく、また其の逆でもなくして兩契機の無內容的滲透に於て對立性が克服される。何となれば、眞理論的辨證法に於ては、對立性の設立は同時に其の止揚であるべきであるからである。存在するものの斯有に於ては既に「より以上の存在」が潛まれてゐて而も此れが總べての存在を貫通するといふ事實は、前論理的なものの領域に於て其の絕對意味を有する眞理自體の辨證法的本性の表示である。斯有と進展存在とは決して矛盾性を意味するが如き關係であるのではなく、矛盾性は眞理自體の超對立性の概念によつて示されるが如く既に止揚されてゐなければならぬ。其れ故、斯有と進展存在の如き相互滲透的、相互交錯的な眞理論的辨證法の契機は、對立性の領域從つて論理的領域に於けるが如き矛盾關係に立たざるを示すものである。

論理的・辨證法 (das Logisch-Dialektik) は肯定或は定立が否定若くは反定立を克服し、其れによつて定立の內容が豐富にされ、より高き綜合契機の第三者への橋渡しがなさるのであるが、しかし辨證法が對立の契機に其の成立を仰ぐ限り、新しき契機への移行は、一對立契機を他の對立契機によつて遂行することであり、從つて其れは對立性の原理的止揚ではなくして、對立的エレメント間の絶えざる或一定の闘爭の過程形式たるに過ぎない。故に、かゝる辨證法に於ける否定若くは反定立の超克は、實は否定其のものを既に獨特なる仕方に於て理解せるもの、ある内容をもつものとしての否定、所謂ヘーゲルの差別なるものは他者一般をではなく、其の自らの他者を對立的にもつ。」(Hegel, Enzyklop. I. Teil, Wissenschaft der Logik, § 119. Hrsg. v. Lasson. 4. Aufl. 1930.) こと、或は「同一性と差別との統一」の存在根據が對立契機のうちに含有されてゐること、即ち辨證法的對立諸契機は、やがて其の對立を恢復するところの統一の諸契機であることを意味するに外ならぬ。此の如き對立的契機の超克に於ては、一契機を他の契機によつてせんとする內論理的な徑路に於ける過程的辨證法として絶えざる流動過程にあることが示されてゐる。斯かる絶對動の辨證法は其の「對立」の原理的止揚を更に「超對立的なもの」の統一に於て求められなければならぬ。卽ち對立性を其の辨證法的契機の原理とする論理的辨證法は、更に無對立性或は超對立性を原理とする超論理的・辨證法的なものに基かられねばならぬ。

九

然らば眞理論なるものは哲學の全領域に於て如何なる地位を占むべきであるか。あらゆる立場性を越える所に哲學の立脚地が存するとすれば、對立性の諸領域を越えて超對立性に立たんとする眞理論は、ヌツビッゼによれば正に「第一哲學」を要求すべき權利を有つとされる。元來對立性に存する制限は一側面的態度決定を表明する故、他側面なるものは排除されえず、それとの對立に立たねばならぬ。其れで以て對立性は、對立を形作る所の契機の前存(Vorhandensein)或は用存(Zuhandensein)を要求し前提せねばならぬ。斯くの如きは、世界解釋に於ける特に人間的なもの或は人間中心義的なものが一切の制約をなすと看る立場である。併し正にこの對立性の制限或は一面性の超克に哲學の根本課題があるのでなければならぬ。而てかくの如き人間中心主義よりの解放の道は、對立性の制限の限界を擴大延長を意味すべきではなくして、かゝる制限の彼岸たる超對立性の領域の原理的獲得でなければならぬ。眞理論的辨證法は、實に對立性及び其れに伴隨する制限性、一面性の止揚によつて眞理自體の無內容性從つて非・對立性或ひは超・對立性(Un-gegensätzlichkeit oder Über-gegenständigkeit)への純粹化の道である。

普通、對・立(Gegen-stand)即ち我々に對ひ立つもの(Entgegen-Stehendes)を解明する所の對立の此岸に留まらんとする個別科學に反してこの對立を超えたる超對立者の根柢を究める所に哲學的要求が存するとすれば、所謂學の學たる哲學は、內容的なものと無內容的なものとの間、我々の眞理と我々にとりての眞理との間の距離を止揚して其等の共通的根柢たる眞理自體を原理とすることによつて其等對立的諸契機を一つの學的全體の成素として綜合するものでなければならぬ。

我々はかゝる超對立的なものの發見可能性を哲學論究の端初に於ても顯示される所の眞理論的根本事實に於て認め、其れを眞理論的原理的究明に於て確立することに努めた。而て我々は哲學論究の始元は、決して「あるものへの指向存在」(das Gerichtetsein auf etwas)の狀態(Zustand)としての直覺(Intuition)や明證(Evidenz)によつては與へられずして、總べて指向に對して開かれてゐる無指向性(Richtungslosigkeit)として、人間中心主義の超克並びに超立場的立脚地(überstandpunktlicher Standpunkt）の全面性（Allseitigkeit）を意味すべき超對立的眞理自體の斯有存在性に於て求めらるべきことを明かにした。この眞理自體の全面性に於ての み對立的なものの兩側面及びこの兩側面の一致の理念的可能性、更には特に人間的なものの對立構成の現存的可能性等が容易に其の自然的な固有の場所を指示され、適當に評價されうるのである。

哲學が究極的全體眞理知の純粹知識體系たらんとする要目を內有するものなる限り、當然其れは人間中心主義的一面性並びに對立性に由來する一面的制限的偏狹よりの解放に努力すべきであること、而て一般に學がかゝる對立或は內容的なものを其の探求對象とするに對して學の學（Wissenschaft der Wissenschaften）たる哲學は、超對立的なもの或は無內容的なものを其の討究の目標とすべきことを我々は考察した。而て眞理認識に於ける直覺乃至明證が或物への指向を意味する限り、對立的領域に於ける意識の相關性を脫し得ざるものなるに對し、超立場的立脚地に立つべき眞理問題の理觀は、人間中心主義、的乃至人性論的一面性偏狹性の超克の可能的原理根據として眞理自體の眞理論的存在事實性として示さるべきことを述べた。換言すれば、人間的認識の構成物としての「對立」のうちにはあらゆる對立の一面性が表明され、また其の對立性の諸領域が言表されるに對して、哲學論究の考究對象は、何如なる部分にも分たれざる無相關的、無内容的領域に存する眞理自體に基くべきであることを我々は行論の中心點として來た。この領域は、諸對立的契機を包越することによつて却つて對立性の諸領域を理觀しうる所の、從つて人間中心主義的諸制限よりの解放を内含する所の一切の學の原理的前提根柢の領域として解明さるべきであつた。眞理論はこの意味に於て、其の本質より觀れば正に「第一哲學」の要求をもつものとして顯揚されたのである。アリストテレスは、彼の形而上學の分析論の根本問題として、「第一哲學」は他の哲學諸部門を演繹すべきものではなくして、哲學一般の共通的通路を供すべきものなるを明かにせんとしたのではあるが、しかし彼の存在と思惟の原理の同一視の爲めに、哲學一般への通路としての第一哲學は彼に於ては原理的に確立されえなかつた。從つて此處に於て問題とされた眞理論は、アリストテレスに於けるが如く存在と思惟の原理の同一視を意味すべきではなく、兩者を更に包越する所の眞理存在の原理的解明をすべき重要なる課題をもつたものであつた。

一つの事柄の如何なるものなるかは、其の觀察の立場に關はるものであるとせば、我々は可能の限りに於て最も廣汎にして且つ偏見なき立脚地として、テオーリアの立場を、單にアリストテレスの意味に於ける存在の斷有諦觀を指すのみならず存在の進展存在をも併せて理觀せんとするものとしての眞理論的立脚地に於て求めた。一つの事態の說明に際して其の觀點を其の內におくか、または外に置くかによつて相異が生ずるのであるが、かゝる相異指摘をなしうる立脚地は、あらゆる立場性を超えたる理觀の立場を措いて外にない。此の理觀の立場よりすれば、先づ第一に總べては、其れが存在する如く斯く存在するもの(Soseiendes)として現存し而て眞理自體に關して存在する。事物が其の斷有存在に於て眞理自體との聯關にあるといふことは、認識の內容評價よりは獨立に、卽ち判斷の斷有として超對立的眞理の領域に屬することの表明である。而て存在のすべてに附滯し其れに卽在する進展存在は正に單なる「存在」(Sein)に屬するすべてを發動せしむるものであるに外ならぬ。この進展存在の性格は、アリストテレス的テオーリアに於ては、要求されなかつた見地であつて、これに對して存在の斷有と其の進展在存の二重本質性を併せて原理的に究明することによつて、哲學の根本原理を提示し、且つこの見地より哲學の諸問題を解決せんとするのが我々の言ふ所の眞理論的立脚地である。この眞理論の最究極的な制限されざる超立場的立脚地に立つことによつて、對立的なもの及び其の一切の何等かの立場をとる一方向的觀方が、無方向的に理觀され包越される。例へば認識現象を看るに、見地を認識の內部にのみおかんとする主觀主義、また其の外部にのみおかんとする客觀主義は共に一方向的である。此等の立場は、存在するものとしての存在は問題とされずに、存在するものは常に向對立(Entgegen-Stehen-des)として問題とされるに過ぎぬ。一般に、主觀主義的哲學は、この對立を「自己自ら」といふ一定せる方向より認識せんとするものであつて、從つて其の主體的超越のレギオンに於て確立される眞理は、所謂實存的眞理の諸理念であり、「我々の眞理」(Unsere Wahrheit)と名付けらるべきものである。かゝる我々の眞理に於ける眞理の問題は、一つの眞理が他の眞理に對する關係は、まだ判斷或は概念に到らざる所の體驗的諸聯關に於て見られる了解的眞理(die verstehende Wahrheit)である。此の我々の眞理の認識はある一定の方向を常に自己より發せしめ、その客觀的對象性獲得の爲め內より外へ超越せんとする認識である。而て此處に於ては先驗的超越が其の認識を支持する基礎原理である。又、總じて客觀主義的哲學は、對立を對立一般(Gegenüber überhaupt)として如何なる方向に對しても無關的であるを標識とすることによつて確立される眞理の諸理念を獲んとするにあつて、而て此等の眞理の諸理念は一括されて「我々にとりての眞理」(Wahrheit für uns)と稱される。我々にとりての眞理は、對象性一般の鬪爭場裡に立つて、其の把へらるべき對立の克服の爲めに對立の內容性より無對立的な無內容性への、卽ち眞理自體への努力を示すが、しかし我々にとりての眞理は、判斷の肯定・否定の關係、眞理性、反眞理性の對立に立たざるを得ないのを其の特性とする。從つて此處に於ては理論的、對象的超越がこの領域成立の根據であり、其の認識の指導的目標となる。我々の眞理も我々にとりての眞理も共に對立的なものの領域に屬する眞理なることは、其の固有なる內容性がこのことに對する何よりの證左であらう。兩者共何かを對立せしめ、向對・立せしめられるものを內・容

(In-halt)として内にもつ(in-halten)ものであるがたゞ其の把握の形式を異にするのみである。其れ故この兩種の眞理は恰も相互に分離せる狀況にあるかの如く思はれる。しかし如何なる種類の眞理であらうと夫々に潛める存在性によつて統合せられる故、たゞ其の次元を異にするのみである。内よりの超越としての先驗的超越もまた外よりの超越としての論理的對象的超越も其等が内容的なものを對象とする限り、對立的なものの領域の限界を出るものではない。其れ故、この兩立場に於ける言表なるものは、存在するもの(Seiendes)に關する言表ではなくして、認識と認識されるものとの複合卽ち存在するものの出會(Begegnen)の狀態に關する認識たるに過ぎぬ。この對立的なものの領域に於ける眞理認識に其の立脚地を採るものは、如何なる特殊的個別的な事物狀態であらうとかゝる存在するものに卽在し、其等を限定統一する所の斯有事實を正當に看取しえない。此處に於ける認識は對立を捕へんと努め、自己に對立するものを表象することより始元する外ない。其の眞理把握を目標とする認識は、對立を斯くの如く存立するものとして捕へんが爲めに、其の中間項は皆排除され、内容(In-halt)が存在するものと置換へられ、すりかへられる。かゝる一次元的一面性に於て云々される眞理理說(Wahrheitstheorie)は、何處までも相關的であり、またその說く所が如何にカント前の獨斷論より離れて存在と思惟との或は認識と認識されるものとの一致說(Übereinstimmungstheorie)に反對するにしても、畢竟するに例外なく一致說に歸せざるをえない。哲學の立脚地として超對立的な立脚地に立ち得ず對立的な領域に固執するものは、如何に認識と其の對象との關係を精細に說明し、記述しても認識と對象との相關性より自由ではなく、結局一致說に終るのを常とする。我々は曩に於て論究の中心とした眞理自體と此處に於て觸れた所の我々にとりての眞理、我々の眞理とを眞理の三種類として指摘することが出來る。我々は眞理論的な根本事實に基いての三種類の眞理を取り出したのである眞。理論的見地よりすれば、判斷事例と雖も斯有としては判斷の內容より獨立的に眞なることを我々は述べた。而て對象と對立することより出發する認識は、對象の內容としてある所の命題の設立に終り、存在するものそのものは問題となりえないことを我々は指摘した。更に、對立的な我々の眞理と我々にとりての眞理とを超對立的、超立場的立脚地に立つて此等を包括する所の無相關的眞理は、眞理自體であることを我々は述べた。

　我々の對立に對する態度は、單に事實の解決に終始し、新しき見方の轉換を將來することは不可能であつた。斯かる事實を統一せる一つの統合體を形成する所の眞理論的契機をなすものは斯有事實性及び進展存在性であることをも述べた。我々が、認識現象に於て看られる認識構成要素たる認識と認識されるものは、眞理論的根本事實の統合體に由來するものである。眞理自體なるものが判斷内容より全然獨立的であり、而て我々の眞理と我々にとりての眞理の兩眞理は、内容的なものに關するものである故、兩者を區別すべき可能性及び必然性は何處に存するか。我々の眞理は、我々と一致せぬ他の主張に對して我々によつて立てられた一つの命題である。其れは尙憶見、差異性の段階に止つてゐて、其れに對立する對立主張を尙克服してゐない。然し此處に見られる對立性は、肯定・否定のそれに甚しく接近してゐるが、まだ其れと合致しない。此處に於ける認識は、判斷に於ける肯定・否定的決定に尙立ち到らざる所の生成の狀態にあるものである。其れは對立性の何れかに黨派的二者擇一の孰れかに屬するを主張するも肯定・否定の判斷領域にはまだ到達しない。二者擇一の各側面は、如何なる場合に於ても其れが我々の眞理である限り、我々の命題に於て存立するものであつて、其の契機は和解なき絶えざる闘爭に立つものである。

我々にとりての眞理の領域の對立性は、此れとは異り、單に判斷の肯定・否定との對立關係にあるのではなくして、かゝる對立に、ある解決がなされ、卽ち和解が成就されうるとするところのものである。我々の眞理と同じく我々にとりての眞理も對立性の領域に存するのであるが、我々の眞理が意識性の對立性が其の本質をなすに對し、對象性に於ける對立性が我々にとりての眞理の本質をなす。從つて此處に於ける肯定・否定關係は和解すべき對立性を豫想し、これに基くものである。ラスクが遂にそれを超對立的對象にまで展開させたことは前述に於て明かにした通りである。然るに對立性は和解を豫想するも元來對立性に固執するのが其の原則である。認識と認識されるものは向對立に立つも何時かは止揚されることをその理想とする。卽ち認識は其れに對立するものを把握せんとするに始まるならば、認識されるものの全的に把握されること、換言すれば可能的なものが現實的なものとなることを其の根本豫想とする。從つて此の對立性の契機は融和されうるといふことが其の缺く可からざる條件となるのである。我々は既に此處に眞理自體への通路の存することを看取し得る。

ヌツビッゼによれば眞理自體は其の無關性の故に內容的なもの、對立的なものの領域への導出は許されない。眞理自體のこの無內容性は、其の純粹性の故に寧ろ我々の眞理、我々にとりての眞理を自己への還元を要求し、哲學の理念達成の原動力として此等を可能にする根柢である。對立的契機の和解を目標とする所の我々にとりての眞理のこの眞理自體との合致(Zusammenfallen)は一致(Übereinstimmung)ではなくして、對立的要素間の和解の實現である。この合致の中間層に横はる所の思惟の心理學に屬する一切の主觀的なものに因由する諸要素が除かれることによつて認識と認識されるものが一つになる。ラスクの形式・素材の構造によりて達せられた範疇的統一が此れに相當する。然し我々にとりての眞理によつて到達せられた和解の統一は尙純粹論理的概念に留まるものであつて、此れを以て直ちに超對立的なものであると主張すべきではなくして、單に超對立的なものに擬へられるに過ぎない。

我々にとりての眞理の斯くあるもの(Soseindes)と全的に合致せんとする努力が、其の究極に於て達成され成就されたら其れはもう早我々にとりての眞理でなくなるであらう。我々にとりての眞理が其の成就の念願に驅られて十全的に眞理自體と合致せんとするも、其の到達されうるものは依然擬似眞理自體(Quasi-Wahrheit an sich)たるに留まるを其の本性とする。此處に我々は、哲學論究の出發點として採用せる原理が其の全行程を支配するものなるを知りうる。即ち此の如き判斷の肯定・否定の對立性に出發する認識が最も好都合の場合に於て內容的なものが無內容的なものに最大限度的に接近しうるであらう。然し其れで以て對立性の限定は決して踏み越えられたのではないことを我々はラスクの超對立的な範疇領域に於て其の好き證左を見出し得るであらう。同じき內容性の領域に立つ所の我々の眞理と我々にとりての眞理とは和解的一致への移行は可能的であるばかりでなくまた必然的である。しかし我々にとりての眞理と眞理自體との合致は、此れと事情を異にする。一は內容性の領域に屬し、他は無內容性の領域に立つものである故に。我々にとりての眞理は、勿論認識と認識されるものが一つになることの事實的實現に於て眞理自體との全的合致に努力するが、しかし對立的なものより出發する其の一面的な立場性に制限される故、如何に眞理自體との一致が努力され到達せられても、其の究極端は依然我々にとりての眞理に關はるものなるを免れえない。哲學論究の出發に際して採れる立場の原理が、論究の全行程を限定し制約するものである故、我々は出來る限りに於ける視界の廣汎性と立脚地の深刻性とを獲得せねばならぬ。かゝる要求を滿し得るものとして我々が哲學論究の發端の原理的根柢として眞理自體なるものを採用した所以が存するのである。

對象なるものは、其の斷有に於てのみ完全に把握される。即ち常に認識に對する反對の立場に於て把へられる。然し、認識より離脱せる對象其のものを獲得せんとして認識の地盤に於て生ずる所の對立性の諸要素の關係より出發する所の、存在するものを向對立的に存する側面より開示する眞理である我々にとりての眞理は、其の諸對立的要素の極致の和解は其の對立性の制限の爲めに單に存在するものの一部分との合致であるといふことを意味するに過ぎない。これに反して眞理自體は、對立的要素間の關係のみならず、認識と認識されるものをも包越する所の、かくして妥協的合致に非ざる所の、あらゆる立場性を越え、其等を統合する所の哲學論究の根柢的原理として前提される超對立的眞理である。我々は眞理自體の領域の理觀に立つことによつてのみ各眞理の領域を公平に評價し、其の然るべき位置を定位することが出來る。

十二

問は一般に或物に就いて、何等かの事に關して問ふことに成立するといふ單なる事實より看て、また存在するものの實質的內容は疑ひ得ても懷疑其のものが存在事實として現存するといふ存在事實性 (Seinstatsächlichkeit) といふことより觀ても、存在概念は總べての學にとつて最も直接的且端初的な概念である。從つて我々の看るところによれば哲學なるものは、如何なる出發點を取るにしても一般に存在概念に何等かの意味に於て逢着せざるを得ない。而て哲學は、個別科學が存在するもの (das Seiende) の或る特定內容に關する實質的內容的研究であるに對し、存在するものを單にかゝるものとしてではなく、更に原理的に其の純粹存在性に於て闡明せんとする學問である限り、哲學はこれを要するに存在概念の原理的究極的論究に關する根本學であるに外ならぬ。故に、哲學は存在を其の一般的存在性に於て存在の總べての特定內容の根柢にあつて而かも此れを制約する存在の原理的規定を顯明せんとする、といふ其の根本的一表徵に

よつてしても、其れが個別科學と異つてすべての學の根柢に横はる所の根本學

たる所以が看取されうるのである。

存在概念は、原理的には一義的に規定せらるべきであるに拘らず、現象的に

ま種々の意味形態に於て語られ、把握される。從つてかくの如き現象形態に於

ける存在概念は、其の把握の種々の仕方による種々なる規定の爲めに多義的た

らざるを得ない。存在を或物として卽ち或特定事物として其の內容的契機に關

して性質づけること、換言すれば殊別的なる事物の內容的性質を把握すること

は、日常的素朴的な存在規定であるが、斯かる規定の延長擴大と見らるべき自

然科學的な存在規定と雖も原理的にこれと異るものでない。かゝる規定方法は

指向されてある當のものではなくして、其の現象的規定であるに過ぎない。し

かし斯くの如き日常生活及び自然科學的立場の存在するものに對する「自然的態

度」は、主觀(Subjekt)の構成物を客觀(Objekt)に適用せしめんとする所の迂路的志向

(intentio obliqua)ではなくして、存在するものへの直路的志向(intentio recta)として

存在概念規定の手導きとして重要視さるべきものである。何となれば其れで以

て哲學は世界全體(Weltall)の存在を失ふことなく最も廣き地盤に立ちうるからで

ある。所で、この殊別的個別的事物は、或物として規定せられる爲めには、其の根柢的意味に於て先づ存在するものでなければならぬ。其れ故、特定の或物が存在するものとして規定される場合、其れは事物を或特定の事物としてではなく、實は事物を其の一般內容性に於て規定することである。哲學が斯かる個別的に存在するもの(das einzelne Seiende)を「存在するもの」(Seiendes)として規定することは事物を其自體として其の一般內容性に於て規定することであり、更に其れを純粹存在性(Sein)によつて根柢づけることである。卽ち個別科學に於けるが如くある特定の事物を或物(Etwas)たらしめる所の個別性乃至事物性(Individualität oder Dingheit)はあらゆる存在するもの(das Seiende)を存在するものとして其の全體(Alles)として一般性に於て規定するものは、純粹存在性であるに他ならぬ。一般に「存在するもの」(“Seiendes”)の構造は、存在するものの內容契機と此の內容的契機の根柢に存して而かもこれを原理的に規定する所の存在の一般存在性との兩契機より成立つ。而て存在を存在する限りに於て規定すること、卽ち存在するものの內容的契機に關しては全然無關的無規定的である所の存在を存在自體として其の純粹存在性に關して規定する存在規定方法は、最一般的且直接的方法であつて、従つて、存在規定に關しては最も原理的根柢的意味を有するものである。他の如何なるものに因るのでなく、存在を存在自體として、即ち存在を存在である限りに於て規定する所の、其れ故存在するものの即自的直接的な純粹存在性は、存在の內容的契機とは無關的なる一般的、無規定的及び無內容的な存在自體であるといふよりは寧ろ眞理存在自體といはねばならぬ。かくの如き存在の根源的規定は、存在するものを不確實として貶下するのではなくして、哲學の原理に關する限り、あらゆる內容的諸契機の規定性としての存在を存在たらしめる所の純粹存在性が哲學の原理的根柢をなすものとして、兩者の嚴密なる明別がなさるべきである。

存在概念の原理的究極的根本學を意味すべき哲學は、存在を其の一般的原理的存在性に於て規定せんとするものであり、其の限り其れは、あらゆる特定的內容の根柢にあつて而かも此れを制約する存在の原理的規定を顯明すべきである。従つて哲學の存在概念なるものは、單に特定內容として存在するのみではなく、更に原理的には存在するものが其の純粹存在性に於て存在することとなるを意味する。其れ故存在の斯かる純粹存在性の原理的究明をなすべき任務をもつ哲學に於ては、既述した通り「存在とは何であるか」なる問は常に「眞理とは何であるか」の問を意味するものであり、隨つて哲學に關する限り、存在は常に眞理存在（Wahr-Sein）を指すのである。何となれば存在するものを存在する限りに於て研究することは、實は單に存在を其のものとして(Sein als Solches)としてのみではなく、同時に存在を其の眞理存在として語つてゐるからである。此の意味に於て眞理存在概念は單に存在(Sein)にのみ關する存在說（Seinslenre oder Seinstheorie)や存在するものの個別的探求たる個別科學に於ける其れとは區別されねばならぬ。また眞理存在論の原理的討究なるものは、眞理の認識問題よりも別明さるべきであることは屢次注意して來た通りである。從つて存在を眞理存在として而かも眞理認識よりの截別の下に研究さるべき我々の課題より觀れば、存在認識の眞正なることの保證は認識のうちには得られず、超越的存在するもの一般に卽在してこれを原理的に規定する所の眞理自體に於て求めらるべきである。其れ故、哲學其のものの根本原理及び哲學一般の基礎根據を解明せんとする眞理論は、存在の眞理が問題ではなくて、あくまで存在するものに卽在する眞理存在が問題である。換言すれば眞理論に於ては、存在の純粹存在性は何處までも存在するものの規定性として原理的に究明せらるべきであり、その限りに於て我々は同時に存在するものと存在性との統合問題をも眞理論的辨證法によつて解明せねばならぬ。從つて哲學の最究極的原理的前提として存在自體が定立されるのではなく、存在と眞理との統合體たる眞理・存在の純粋形相たる眞理自體が定立されるべきである。

アリストテレスに於ける、「存在するもの」は（"das Seiendes"）は其の全き語義にあつては、具體的に現存する事物及び具體的に現存する人間の如く單に具體的個別者を意味するに對して、ὄν（"Seiendes"）は本來的存在として具體的に存在するものの全體的存在性(die ganze Seinheit)を意味した。換言すれば、存在は存在原理として常に存在するものに對して其の存在性でなければならぬ。彼は屢「第一哲學」の對象としてὄνの代りに實體(Substanz)本質(Wesen)及び存在するもの其自身(das Seiende selbst)の總稱たるοὐσίαなる語を使用した。此のοὐσίαが存在するものを存在するものたらしめる所の存在原理を意味すべきものとして我々は、眞理論的に存在の概念をアリストテレス的多義性より區別して、其れは自體的存在としてあらゆる存在の現象形態を通じて其の根柢に存する存在原理と解することが出來ると思ふ。從つて存在性の意味に於ける存在の概念なるものは、存在の仕方及び存在の現象形態に於ける個別的存在者 (das Einzelseiende) 或は一般に、存在するものの意味に非ざる存在するものの根柢に横はる所の實體的、本質的及び現存的存在の諸原理を意味することになる。

アリストテレスは、對立性にある存在概念に對置して超對立的なる存在概念を本來的存在者 (κυρίως ὄν, das eigentliche Seiende, Met. VI. 4.) と名付け、哲學はあらゆる對立の外及び其れを超えたる所の人間的思惟の仕方より獨立せる斯かる存在者を獲得すべきであるとなした。彼に於ても哲學は眞理探求と同意味に解された場所を我々は指摘しうるのであるが、眞理に關する原理的確立は見られなかつた。彼の言ふ所の本來的存在者は、我々が此處に於て問題とせる特に人間的なものの態度及び其の對立性を超えたる眞理自體であるよりも寧ろ存在自體を意味したと見られる。然し彼の本來的存在者なるものは、人間的思惟より獨立せる其れに對しては全然無關的に自體的に存在するものの領域にあるに反して、肯定・否定の領域及び眞・僞の領域は人間的思惟によつて觸れられ、把握せられる領域に於て在るのである。隨つてこのアリストテレスの言ふところの存在自體と存在認識との區別は、即ち τῇ φύσει と πρὸς ἡμᾶς との間の區別は、我々の言はんとする「自體」(an sich)と「我々にとりての」(für uns)との間の區別に相當するものと見られうる。而て眞理の問題に關して此の區別に於て重要視さるべき點は、人間的思惟の支配下にある對立的なものの領域即ち肯定・否定の關係にある判斷論理學の領域及び其の規準たる純粹論理學の價値領域と、超對立的なものの自體的存在に於ける眞理自體の領域とを峻別し、混同すべからざることのよき指示を我々はアリストテレスに於て學ぶことが出來るといふことである。眞理の自體存在なるものの原理的解明たる眞理問題は、先づ其れを所與問題としての眞理認識の問題との混同より明別することによつて、始めて眞理自體を、眞理認識に於ける對象と解せられた所の我々にとりての眞理及び我々の眞理の如き純粹思惟及び主體的乃至主觀的體驗に於ける實存眞理より區別することが出來る。然し此處に於て注意すべきは自體存在者への眞理探求の道は「我々にとりて」はたゞ溯源的に還元の方法による我々の徐々たる思惟の探索によつて始めて開示されるにしても、開示されるものは我々を待たず前以て豫め現存せるものであるといふことである。從つて我々の思惟の則るべき前提となり、其れ故哲學の根本的根柢となるものは自體存在者の法則、規定乃至原理に屬するものである。此處に於て我々は、超對立的な領域の本來的存在者と肯定・否定乃至眞・僞の對立的なものの領域との間に何等かの內的連繫の存することが表示されるのを知る。其れ故我々は內容的なものを無內容的なものへ、對立的なものを超對立的なものへの還元を、更に兩者の辨證法的否定媒介を眞理論的に確立し、其れを眞理論的絕對辨證法として解明せねばならぬ。

既述によつて看取せられうるが如く、眞理論の課題は、正にこの兩領域の統合原理を、換言すれば眞理・存在の最高形式一般としての斯有存在性と最高內容一般としての進展存在性とを其の辨證法的契機とする所の、從つて其自らはこの兩契機の辨證法的統一に於てある所の眞理自體の本質的究明をなすことによつて確立せんとするにある。

我々は今眞理自體のこの最高形式原理としての斯有事實性と最高內容原理としての進展存在性との兩辨證法的契機を表現する語として、眞實の意味に於て眞理存在を其の純粹規定性に於て顯現せしめるに如何なる述語を以てするが最も適合であらうか。元來蔽を去ることを意味するἀ-λήθειαなる語は、それ自らをそれ自らによつて光のもとにもたらし、見られるやうにする(φαίνεσθαι)ところのἀπόφανσις である。眞理論(Aletheiologie)の立場は、無指向的に理觀する(richtunglose θεορειν)を標榜するものである故、其の θεορειν は θεορειν の本來の本性に從つて、眞理存在を何等かの形に於て觀ることでなければならぬ。〔眞理の論理學(Wahrheitslogik)は本來「形の論理學」であるべきである。」其れ故我々は、眞理存在の最究極相たる眞理自體の辨證法的契機たるヌッビッゼの斯有(So-Sein)と進展存在(Mehr-als-Sein)の代用語として孰れも理觀する(θεορειν)を意味する形相(εἶδος)と理念(ἰδέα)なる語が剴切であると思ふ。眞理論に於て我々が純粹形相(reine Eidos)または純粹理念(reine Idea)なる名稱で以て呼ばんとするこの概念は、眞理自體の無內容性、超對立性の故に眞理自體のこの辨證法的兩契機は常に相互に表裏する所の相即關係に於て、一切の形式及び內容の最高原理的統一をなすものである。其れは「精神(Geist)または理性(Vernunft)に於て直觀されたものの原型(Urbild)乃至範型(Muster)として或は本質一般の全體性として、これに則つてのみ一切の理論的實踐的及び學的形成等がなされうる所のものである。精神なるものは、たとへ超主觀的な宇宙精神に擴大されるにしても其れは精々理念に向けられたるもの卽ち尙指向的なものとしては其れは理念其のものの無指向的なものに比すれば第二次的たるを免がれえない。從つて人間的精神に於ける旣に眞理認識の領域に於て存する所の思惟、認識及び行動等の諸作用の判定規準たる內容の原理を意味する狹義の理念に對應して、更にかゝるものの根柢たるべき眞理自體領域の內容の原理として、內容一般の最高規制原理を意味すべき純粹理念が立せらるべきである。一般に判斷論理的領域に於ける意識內容の形式・內容構造にある主觀的觀念(subjektive Idee)の規準となるものは、物的心的諸對象の典型的本質內容卽ち客觀的イデー(objektive Idee)である。この階層に於て看られる形式・內容の構造は、所謂範疇形式と範疇素材との關係を示すものとしての超對立的對象の領域に屬するものなるも尙純粹論理的概念に於て語られたるものであることを我々は前に於て述べた。單に論理的概念を意味するものに非ざる眞理存在の獨立的自體存在に於けるあらゆる形式及び內容の原理、原像または範型を意味するものとして、眞理自體の純粹形相と純粹理念なる概念を我々は立することが出來るのである。一切の眞理認識努力の原動因をなすものは、實にこの眞理自體の斷かる規制原理としての純粹形相と純粹理念であるに外ならぬ。この究極的眞理自體の純粹形相と純粹理念の二重本質性に於て示される自己維持的な斯有（So-sein）と存在するもの一切に卽在する所の自己に止まらずして常に自己を展開せんとする進展存在（Mehr-als-Sein）の辨證法的構造に基いてこそすべての存在するものは、一般に眞理存在として現實に存在するといふ眞理論的主張の論據が示されると同時に純正なる哲學は形相學または理念哲學たるべき原理が解明されうる。

總べての現實は、根柢に於て自己實現的なイデーである。而てかゝる理念追求の自覺に立つ我々人間にとってのみイデー實現の諸段階と秩序が存すると言はれるのである。しかし此れに對し純粹理念なるものは、例へば物質的生物學的發展は勿論、心的文化的、社會的、歷史的等の所謂「人間性諸理念」の發展の究極目標として、あらゆる活動の根柢に存して其等を規制する原動因である。其れが世界理念（Weltidee）としては、an sich には事物の無時空的な本質內容と其の發展の諸相の全體性との結合原理であることを示すにしても、我々人間より觀る時（für uns）、究極目標或は範型としての理念と其の實現としての個々の理念との間には常に間隙が存する。人間は論理的、美的、倫理的、宗教的及び形而上學的諸理念を分立するがかゝる人間性に立脚せる諸理念實現の人間の文化諸活動の核心をなすものは、純粹理念に合致せんとすること卽ち合理念的行爲たらんと欲するといふことにある。然し、かゝる內在的世界理性としての「世界を支配する理念」の意味に於ける自然、人間、歷史の諸理念が、內世界的な論理的・目的論的な歷史的過程に於て種々なるイデオロギーや世界觀として對立する諸理念たるに對して、純粹理念は、全然無關的に寧ろかゝる諸〻の論爭對立に對して最後の判定者としてのあらゆる立場や學の原理的根柢たるべきものでなければならぬ。

十二

既に前に於て觀た如く、眞理論の結論をなすものは、眞理論的辨證法的統一によつて、「存在するものが眞理・存在として現前に存在する」(das Seiende als Wahr-Sein da ist.) といふ主張であつた。ヌッビッゼはかゝる主張を眞理論的實在論(Aletheiologischer Realismus) と名付け、眞理・存在の概念を、存在(Sein) 現存在 (Existenz, Dasein)

實在性(Realität)等の諸概念の包括概念と看做した。而て彼はかの無相關的眞理を存在するものに即在せる「最も現實的なもの」(das Allerrealste)と看ることによつて、實在論に突き進むことを恐れた從來の眞理の理論家や、進展存在に前進せずして存在にのみ留まらんとする實在論者より己を區別せんとした。即ち彼は超對立的なものに基ける眞理論的實在論によつて、對立的なものに屬する單なる問題の記述に留まらずして此れに即在しながら而も此れを越える所の統一的な包括的な立脚地を獲得せんとした。從つて此處に於ては心理主義は勿論のこと、判斷意味(Urteilssinn)よりの完全なる絕緣が要求されたことは此れまでに於て明かにした通りである。總じて非相關的眞理、換言すれば眞理自體なるものは、人間中心主義または實在論的偏見よりの斷絕が要求せらるべきであつた。從つてヌツビッゼの眞理論の特徵は、眞理自體の問題と他の種類の眞理諸形態問題、換言すれば眞理問題(Wahrheitsproblem)と眞理認識(Wahrheitserkenntnis)との峻別の主張に存してゐた。このことは彼によれば、決して存在と現實在とを分離することによつて可能であるのでなく、存在は存在するものに即在する所の斷有と進展存在との辨證法的統一に於て成立つ眞理存在或は現實存在の眞理論的根本事實の分析によつて明かにせらるべきである。眞理自體存在を對立的相關性に於て看んとする企ては、如何にかゝる理說が結論正しく導かれたところで內容的なものの領域を出ることが出來ず、從つて此れに基けられたる主張は結局人間中心主義的偏見を克服しえない。また存在をつねに存在するものの實在的述語(reales Prädikat)に求め、存在卽存在するものと考へんとする實在論的方向は、進展存在の契機の顯示によつて眞理論的實在論にまで深められねばならぬ。存在概念の本質をなすものは、文章論的に言へば、諸々の述語の述語となるものに存するのではなく、も早述語されえざる所の、從つて諸述語が斯くあり(Sosein)且斯くあるより他でありえない(so nicht anderes sein)所の、一存在するもの(ein Seiendes)に屬するに非ざる所の、而も存在するもののすべてに卽在するものの「眞理存在」(Wahr-Sein)或は「より以上の存在」(Mehr-als-Sein)にあるべきである。より以上の存在若くは進展存在の辨證法的聯關に於ては、斯有は他の述語の下に立つものではなく、述語するもの其のものを始める、または可能にするものである。ヌツビッゼは彼の眞理論的轉換に於ける眞理自體の斯有及び進展存在の二根本契機に基いて、現存在、實在性をも眞理自體の規定態として自己の中に統合することによつて內容的なもの、對立的なものの領域を超えて而も此等に卽在する所の最も現實的な彼の所謂眞理論的實在論が立せらるべき所以を明かにした。既に述べた如く彼の眞理論的辨證法は、定立が反定立を、また反定立が定立を克服して其等の統合をなすが如き所謂論理的辨證法ではなく、兩契機は眞理自體の無內容性或は超對立性の本性に從つて、此の領域に於ける對立性の設立は同時に其の止揚たるべきものである故、兩契機の相互滲透的相卽的統一のみが看られたのである。然し眞理存在は、存在するものに卽在するといふことによつて最も現實的なものとして在ることを意味すべきであるならば、眞理存在の顯示をなすべき眞實の意味に於ける眞理論的辨證法卽ち我々が後に於て問題にせんとする眞理論的絕對辨證法は、單にヌツビッゼの言ふ所の相卽的な眞理論的證辨法ではなくして、此の辨證法と彼によつて論理的辨證法として退けられたる內容的なものの領域に關する辨證法との統一辨證法でなければなければならぬ。其れ故、眞理自體なるものは、かゝる統一可能の原理的根據をも賦與しうるものでなければならぬ。眞理自體の斯くの如き本性に於てこそ包越的立脚地に立つ眞理論的理觀が言はれうるのである。

従って眞理自體に於て示される辨證法的兩契機たる斯有と進展存在を原理的に形相と理念として顯揚するを其の目的とする所の我々の存在概念の規定は、存在するものの實質的內容契機には執着せずに寧ろ此の如き存在の內容の根柢に存する純粹存在性に着目すべきなることは、我々の屢〻論じたところである。然し、單に超對立性の領域のみならず、對立性の領域をも其の內容性一般に關して否定媒介的に兩領域を統合すべき眞實の眞理論的辨證法卽ち眞理論的絕對辨證法の原理を指示すべき眞理・存在概念は、存在するものの內容的契機に卽在して其れを其の一般內容性に關して根柢的に規定する所の存在の存在性と純粹眞理性との原理的統合概念を言ふのでなければならぬ。卽ち眞理自體の概念は、かくて內容の最高內容原理を意味する純粹理念と形式の最高形式原理たる純粹形相との二重本質性を併せもつものでなければならぬ。

十三

普通眞理認識は、認識過程に在る眞理が問題であるが、其れにしても眞理認識といふ判斷事例の斷行事實としては其れはまた眞理自體の領域に屬するものなることを我々は此處に於て想起する必要がある。眞理自體は其の無內容性從つて無對立性によつて爾餘一切の內容的相關的な相對的眞理に對しては無關的に眞理・存在（Wahr-Sein）の形に於て自體的に存在するものである。これに對して相對的な眞理は「我々に對する眞理」（Wahrheit für uns）の形態にあるものである。而て眞理自體と我々に對する眞理との區別はあくまで原理的根據よりなさるべきであつて、ボルツァーノがなせる如く、眞理と眞理と思はれるもの（Fürwahrhalten）との區別を判斷作用に於てなすべきではない。其れ故、無內容的無相關的な眞理論的眞理自體と判斷論理學的眞理自體とは明別せらるべきであつて、既に我々の論明せるところよりすれば、一般に、所謂論理學的領域に於て眞理自體と稱するものは、實は我々にとりての眞理或は我々に對する眞理たるに過ぎざるものである。

我々にとりての眞理若くは我々に對する眞理の本質的表徵なるものを擧げれば先づ第一に、其れは對立性の地盤に立つ眞理である。第二に其れは內容との相關々係に立つものである。對立的なもの、內容的なものの領域に於てのみ眞理自體に對しての夫々の位置の遠さ近さに從つて種々なる部分があるのである。眞理自體はあらゆる存在するものに卽在するものなる故、この對立的な我々にとりての眞理は、超對立的なものへ歸屬せんとする動向を潛むものとせられる。其れ故我々にとりての眞理も、眞理自體の辨證法とは異るがしかし其れ自身の辨證法的構造をもたねばならぬ。此れがヌツビッゼによつて論理的辨證法として、彼の所謂眞理論的辨證法との對比に於て考察されたのである。

ヌツビッゼに依れば眞理自體は、無內容的であり、內容的なものに對して無相關的であるといふ本性よつて、其れより何ものをも導出せしめない、卽ち眞理自體の根本制約として導出の途を缺くものである。從つて我々にとりての眞理は眞理自體より導出され得ず、たゞ眞理自體への歸屬のみが言はれ得るのみである。無內容的なものより何ものも導き出さしめないといふ此の眞理自體の事實は、論理的な意味に解されてはならぬ。何となれば論理的法則を眞理自體に於ても妥當せしむることは、論理的な命題の前論理的なものへの適用となり、其の純粹性の侵害となるからである。論理的法則の適用が問題であるのではなく、眞理論的に理觀せらるべき事實の闡明が問題である此處に於ては、論理的なものと前論理的なものの混同は避けられねばならぬ。

ヌツビッゼによれば、無内容的なものは其自ら何ものをも導出せしめないが然しそれで以て内容的なものより無内容的なものへの還元の道は斷たれてゐるのではない。無内容的なもの眞理自體より、内容的なもの、我々にとりての眞理の導出の第一の道が許されなければされない程、内容的なもの、我々にとりての眞理より無内容的なもの、眞理自體への還元の第二の路がそれだけ必然的であり、許さるべきこととなる。我々にとりての眞理は、眞理自體より出で來るのではなく、前者は後者に還りゆく。我々にとりての眞理は、眞理自體と合致するためには、此の意味に於て眞理自體を我々にとりての眞理に改變せねばならぬ。我々は、認識の意味はこの改變に於て成立つものなることを知るであらう。(Vgl. ibid. S. 102. f.)此處に於て明かに看取せられる如く、内容的な對立的な我々にとりての眞理より、無内容的な超對立的な眞理自體への還元の道は、實は眞理自體を我々にとりての眞理に改變する所の眞理認識に關する問題であつて、眞理自體そのものを問題とするのではない。かくの如くヌツビッゼに於ては**眞理自體の無内容性の領域より我々にとりての内容性の領域への上よりの導出**

の道はなく、たゞ後者より前者への下よりの還元の途のみが許されたのである
が、しかしこの還元の途は、其れが對立的、内容的なものの領域の立場より發
足するものである限り、其れは單に眞理認識の對立的過程を示すものたるに過
ぎぬと言はねばならぬ。縱令其れが眞理自體に到達し得ても、このことは超對
立的な無内容的な領域への對立的な内容的なものの領域の侵害を意味すること
となり、眞理自體の純粹性は汚濁されることとなるばかりでなく、元來部分的
なものより全體的なものへ、または十全性の少きものより十全性其のものへの
論究は原理的に許さるべきものではない。かくてこの兩領域の關係を可能なら
しむる根柢として、ヌッビッゼは眞理自體のあらゆる存在するものに即在すると
いふ眞理論的事實を認めることによつて所謂彼獨特なる眞理論的辨證法を案出
したものと考へられる。ヌッビッゼはこの辨證法によつて眞理論的演繹とも言は
るべき下降の道を暗示したと看られるであらう。眞理自體への還元が、論理的
還元を意味するものでなく何處までも眞理論的還元と云はれうる爲めには、其
の可能の根據を眞理自體の本性にもつものでなければならぬ。我々は前に於て、
眞理自體の純粹形相と純粹理念の二重本質的原理はあらゆるものの内容及び形

式に關する所の最高規制原理たるを明かにした。從つてこの二重本質の原理は眞理論的還元の上昇の道のみならず眞理論的演繹の下降の道をも可能にする最究極的根據でなければならぬ。これに基いて始めて我々の言はんとする眞理論的絕對辨證法が可能にされる。然らばヌッピッゼの言ふ所の眞理論的辨證法とは如何なるものであるか。我々は前に於て其れを論理的辨證法との對比に於て觸れる所があつたのであるが、此處では其の構造の骨子のみに就いて彼の謂ふ所の眞理論的辨證法を問題としよう。眞理自體の領域は、其の超對立性、無內容性の本質の故を以てこの領域に於ける辨證法的兩契機の設立は、同時に其等の止揚であることが出來る。卽ち眞理自體の辨證法的兩契機たる一者と他者との關係及び兩者の統一は、論理的辨證法に於ける辨證法的兩契機の其れの如く、單に同一なる對立的、內容的な領域に於ける an sich と für sich との相對的關係及び「對自的卽自」(an sich für sich)的統一ではなく、常に an sich と anders との相卽的統一としての「對他的卽自」(an sich für anderes)若くは「他者に於ける卽自」(an sich an anderem)であつて一者と他者との對立は常に同時に止揚である。眞理論的辨證法なるものは、論理的辨證法と異つて、後より適用されうるが故に、始めて妥當するるのではなく、其れは各〻の「始めて」とか「前より」とかの如きことなしに、眞理論的根本事實に於て「明かになる」。即ち人間的・人間學的立場性に於ける指向存在の契機が超克されたる所の無指向的洞察とも言はるべき理觀に於て成立つものである。ヌツビッゼに從へば、眞理自體は存在するものに即在して存在するものであるが、其れは其の斷有と進展存在との辨證法的轉換に於て成立し、其れによつて保證される故に、この他者に於ける即自は其の無內容性を支持することが出來る。假りに眞理論的辨證法に於ける兩契機の關係が「對他的即自」の關係ではなく「對自的即自」の關係であるとせば、かゝる對自的即自の關係は、對立的なものの領域の構造を示すものである故、其れは對立を知らざる領域に於ける對立的な規準の侵入を意味するものであつて、それによつて眞理自體は其の本質を喪失するに到るであらう(Vgl. ibid. S. 104.)。論理的辨證法に於ける即自と對自との關係のみより超對立的なものの領域を考慮し、其れを論理的なものに解消せしめんとするやり方は、畢竟するに論理的な內容的な對立的地盤を脫することは依然不可能と言はざるを得ない。此の如き眞理自體の超對立的領域の論理的解決は、前・論理的なものの正當なる處置ではなく、從つて此處で言はれる辨證法は論理的對立的辨證法でしかありえない。かゝる辨證法に於ては、論理的なものと前・論理的なものとの間に成立つ關係、卽ち論理的なものに於て矛盾に滿ちたものが前・論理的なものに於ては矛盾より自由であるといふことが明かにされ得ない。かくの如き辨證法の一面性の超克の爲めにはザッへよりウールザッへへの轉向によつて、他の反面を見る必要が存するのである。論理的なものの領域に於て兩立しうると保證され、論理的に矛盾律の認めるところのものが、前・論理的なものの領域に於ては兩立し得ないこと卽ち其の超論理的であることを明かにするものが眞理論的辨證法であるに外ならぬ。

然らば眞理自體の「對他的卽自」の本性とは如何なることを意味するか。其れは、あらゆる存在するものに卽在する存在性を意味するのでなからうか。卽ちあらゆる形態の存在者が存在者として存在するといふことに對して、眞理自體がかくの如き斯く〳〵あるものに卽在してあること卽ちその存在規定性として其れを限定してゐるのでなければ、一般に、存在者が既に成就せるもの (Zustandegekommenes) 或は成就に向ふもの (Zustandekommendes) としてあると言ふことは言はれえない。一般に或物があるといふことは其れが何等かの意味をもつものである限り、其れは眞理自體への關與の埒外にあるものではない。一言にして之を蔽へば存在の事實に關する限り我々は斯くの如き眞理自體の存在事實性の優先を認めざるを得ない。

上述に於て明かに看取せられる如く、ヌッ.ビッゼに於ては、眞理自體の an sich は同時に für anderes oder an anderem であることが其の本性である。an sich が同時に für anderes oder an anderem であるといふことは、an sich の契機が先づあつて然る後に他者(anderes)を自己にもち來すといふことであつてはならぬ。何者、このことは超對立的なものの領域へ論理的なものの侵害を意味することになるからである。從つて眞理自體の an sich と für anderes との兩契機の關係は、內容的な論理的なものの領域に於ける一者たる an sich と他者たる für sich との兩契機の關係の如く、定立と反定立とが先づ對立的關係に立ち現はれ、定立が反定立によりて克服されることによつて、定立は却つて其の內容を豐富にしつゝ新しき契機たる綜合への橋渡しがなされるといふが如き兩對立契機の其等の相對對立に於ける量的、異時繼起的移行によつて兩契機の統一が成遂げられるといふ關係ではない。對立的な論理的領域は、對立的なもの、內容的なものの領域である故、此處に於ける一者と他者との對立は、其の現實的具體性と積極性とに於て示され、而かも兩者は絕えざる量的變異と異時的繼時的關係の下に相互移行的統一がなされるとせられる。然し、この領域に於ける統一たる an sich und für sich に於ける an sich は、この統一が「對自的卽自」として同一領域內の一者と他者との統一を意味するものなる限り、其れは超對立的であることは出來ぬ。何となれば對立性の領域に於ける an sich は常に其の他者たる für sich との相對的對立にあるを其の原則とするからである。從つて此處に於ける一者と他者との統一は、實は一者と絕對的他者との絕對否定的媒介を經たる統一ではなくして、かくの如き絕對否定媒介をなすべき絕對的他者を豫想するも、其相對的立場性に制限されて其の積極的限定としては現はれない。其れ故に、一者と他者とは其の絕對否定の Mitte を缺く故、絕えざる對立に立たざるを得ない。たとへ兩者の統一が成立つにしても、其れは全き和解に立つ能はざる量的部分的な暫定的一致を示すに止まり、十全的合致は遙か彼岸にあるものとして翹望されるに過ぎぬ。論理的領域に於ける諸契機の對立の統一は其れが an sich und für sich たるを示す限り、原理的に新しきものではなく、また其れが常に「內容」に關するものである限り、對立性の領域を出るものではない。多様性、變易性及び雜多性とは實に對立的なものの領域の姿であり、而てかゝる對立的なものの領域に於て確立される眞理が我々に對する眞理若くは我々にとりての眞理である。上述のことより、我々にとりての眞理と雖も、其自らとしてはan sichであるが其れが同時にfür anderesたりえず常にfür sichであるといふことが理解される。我々にとりての眞理は、其の深く潛められたる衝動に於てはまたfür anderesたらんと欲するも、其れは遽かには到達されえず、たゞ眞理自體獲得の努力的存在の狀態にあるものである。かくて我々にとりての眞理のan sichは、für anderes oder an anderemたらんとする欲求を「自己の中にもつ」(in sich halten)も、其れが、同時にfür anderes oder an anderemたる眞理自體よりは常に若干の距離に於てあるものとして其れが如何にfür anderesに接近し得ても常にfür sich oder für unsに投げ還へされる。此處に於けるan sichのanderesに對する關係は眞實の意味に於ける他者に對する關係ではなく、同一的な領域に於て見出されたる他者である以上、其れは質的斷絕を意味するが如き他者ではなく飽く迄an sich und für sichの關係にある所の、換言すれば其れは「差異と同一との自己的同一性の原理」に立つものとして單に量的差異にある他者であるに過ぎぬ。從つてこの論理的辨證法に於ける矛盾的對立は絕對的矛盾的對立であることが出來ず、このことと可能の爲めには超對的なものを原理的に前提せざるを得ない。其れ故 an sich と anderes との結合は論理的辨證法に依つては遂行され得ず、單に一者より他者への量的移行と苟合とがなされるのみである。內容的、論理的なものの結合は、たゞ an sich und für sich のみ可能であつて、從つて此處に於ける一者と他者との關係は一者と絕對的他者との關係であることが出來ず、常に「自己的他者」たるに過ぎぬ。其れ故此處で看られる對立的契機の關係は、絕對的對立否定關係にあるのではなく an sich und für sich の關係たるに留まり、從つて其の眞實な他者は接近せらるべくして而かも到達されえない彼岸に止まざるを得ない。此の立場に於ては、他者の超服を求めて而かもその克服せる結果は常に für sich である。斯くの如く、一者と他者とが常に相對的對立に立ち、終ることなき鬪爭の世界の論理たる辨證法は、絕えざる生成變化にある過程の理法を示すものとして過程的辨證法或は絕對動の辨證法と名付けられるとせば、かゝる辨證法の成立地盤たる對立的內容的なものの領域はかゝる辨證法の理法によつて成立つものと見られうるであらう。

我々にとりての眞理は、其の内容性を排除することによつて眞理自體に合致する卽ち内容的な論理的な領域に於ける an sich が同時に für anderes たりうると考へられるが、しかし此際この兩契機の統一は論理的統一を意味してはならぬ。何となれば論理的統一は必ずしも眞理論的統一でないばかりでなく兩者は原理的に明別さるべきであるからである。我々にとりての眞理の内容性の排棄は實は、内容的なもの、論理的なものの立つ地盤及び其の基礎原理の全的否定を意味すべきもの卽ち其の哲學論究の基礎原理の根本的轉換に由る哲學的立場の轉向を意味すべきである。對立性乃至内容性の全體に於ける止揚を可能ならしむる根據は、其れとは絕對的對立にある眞の意味に於ける絕對的他者としての超對立的な無内容的な眞理自體の領域に於て求められるより外ない。内容的な論理的なものより見て結合する道なき絕對的他者は、超對立的な無内容的な眞理自體の領域に於ては、其の全き無内容性の爲めに an sich は同時に anderes であり得る。何となれば、論理的なものの an sich が其の克服さるべくして而も常に克服され得ざる anderes を其の對立契機とし絕えざる變易と流轉を其の生命とするに對して、眞理自體に於ける an sich は其の無内容性、無對立性、從つて對立に對する無關性によつて、對立・存在一般の(Gegen-Sein überhaupt)の止揚を其の本質的性格とする所より、an sich は常に同時に für anderes oder an anderem たりうるのである。超對立的なものの領域に於ける an sich が其の純粋無内容性の故に却つて無媒介的に直接的に存在するものたる他者に即在してある(an anderem ist)ことが出來るといふのがヌツピツゼの眞理論的辨證法の主張である。彼によれば、存在するものに於て觀られる矛盾對立契機は、其等の交錯に於ける眞理論的辨證法の轉換によつて、否定即肯定、又は肯定即否定の同時的相即が成立つ。即ち定立は、既に其の反定立に横つてゐて常にそれを止揚してゐる。換言すれば、定立は、存在するものは、其れが存在する通りに存在することと、其の斷くある(Sosein)と「より以上である」(Mehr-als-Seih)といふことを表明してゐる。眞理論的定立が、存在するものは其れが單に存在する通りに斷くあるを表はすと同時に其れが斷くある「より以上である」といふ an sich und für anderes oder an anderem の相即を言表すべきである。對立的なものの領域に於ける一者と他者との異時繼起的關係とは異つて、眞理論的辨證法の斷有(Sosein)と進展有(Mehr-als-Sein)との同時的相即に於て觀られる an sich と anderes との事實的相互滲透は定立が反定立を克服するのではなく、(または其の逆でもなく)其等の無內容的相卽的合一(Ineinander)に於て對立一般が止揚されて居るのである。內容的なものの領域に於ける對立の統一が一方向的であるに對し、無內容的なものの領域に於ける其れは、其の無內容性超對立性に基く無方向的若くは無指向的理觀に由つて全面的に對立の設立は常に同時に其の止揚たりうることを示す。かくの如く、an sich が常に同時に für anderes oder an anderem ist といふこと、卽ち an sich と anderes との同時的無指向的相卽といふことに於て示される辨證法は從つて絕對靜の辨證法として、一者と他者との異時繼起的過程辨證法とは異つて超生成的である。一者と他者との其の變易極りなき對立的過程に於ける統一若くは綜合は單に或物(an sich)と或物(für sich)との綜合や統一を意味すべきではなく、或物(an sich)と他者(anderes)との綜合を意味すべきである以上、綜合の決定的要素なるものは、實に他者性(Andersheit) 如何に懸るといはねばならぬ。かくの如き絕對的他者として辨證法的綜合の絕對否定的媒介をなすものが正に超對立的な無內容的な眞理自體に外ならぬ。

ヌツビッゼに依れば眞理自體は存在するものに卽在してある。彼の卽物的辨證法と看らるべき所謂眞理論的辨證法は眞理自體の an sich für anderes oder an anderem のうちにその本質を見ようとするのであるが、この際 für anderes oder an anderem の契機を am Seienden と解すれば、an sich für anderes oder an anderem は要するに「存在者に卽在する存在自體性」「存在者との相卽に於ける卽自存在性」と見らるべく、更に一歩進めて an sich を Sosein とし für anderes oder an anderem を Mehr-als-Sein として見るももと〱兩契機は直接的無媒介的相卽としか見られぬ故、そこに於ては眞實の意味に於ける辨證法は成り立ち得ないと考へられる。一般に辨證法は、相對々立なるものが、絶對々立を其の絶對他者として、卽ち絶對々立なるものが辨證法に於ける絶對否定媒介を可能ならしむる原理として、一方、相對々立の積極性を、他方絶對々立の原理性若くは絶對否定の媒介性を正當に確定しうるものでなければならぬ。然るにヌツビッゼの眞理的辨證法は、存在者との無媒介的直接的卽在を示す眞理存在の超對立的絶對的な存在自體性若くは卽自存在性を明かにし得るも、其れは相對々立なるものの積極性及び絶對否定の媒介性を看却してゐる故、眞實の辨證法と稱することの出來ないことは明かである。**其れは唯單に絶對否定媒介を可能ならしむべき超對立的原理を提示せるに過ぎ**

ぬ。それ故、それが眞實の辨證法として語られる爲には、寧ろ却つて an sich für anderes oder an anderem に於ける für anderes を an sich の相對他者として、この相對他者なるものが、・絕對他者としての an sich とは全然別な意味に於て對立性の領域に於ける an sich, für sich の相對的なものの對立關係に於ける積極的對立關係にあるものとして許容し、これを更に絕對他者としての an sich に媒介する絕對否定媒介關係を確立し得なければならぬ。而て超對立的無內容的領域に於ける辨證法を眞理論的辨證法とし、對立的內容的なものを取扱ふ辨證法を論理的辨證法として、ヌツビッゼ獨特の意味に於てこれを活して看る時、眞實の辨證法は寧ろこの兩者の統合に於て成立すると考へらるべきである。

此を要するに一般に辨證法なるものは、對立せるものの絕對否定的媒介に於て成立するとせば、その絕對否定的媒介を可能ならしむるものは、對立的なものではなく、超對立的なものと考へねばならぬ。何者、對立的なもののみにては、それ自身對立的關係を超絕すること、卽ち其の絕對否定的媒介關係を成立せしむることが出來ぬと考へられるからである。從つて超對立的原理を前提せざる對立的契機のうちのみにては辨證法は成立しえない。また逆に對立的契機を豫想せざる超對立的原理なるものは考へられない。故に辨證法は、對立的契機を超對立的原理へ媒介する所の、對立を超絶せる卽ち超絶對立的なものへ絶對否定媒介することに於て成立するものである。是れに由つて之れを觀るに對立的、內容的、論理的辨證法もまたヌツビッゼの言ふ所の眞理論的辨證法なるものも共に一面的、部分的辨證法と言はざるを得ない。此の兩辨證法の相對立を更に絶對否定的媒介を通じて其等を統合せる我々の主張せんとする眞理論的絶對辨證法は、從つて辨證法として對立的辨證法的原理と超對立的超辨證法的原理との包越的絶對否定媒介關係に於て成立するところのものである。從つて眞理論的絶對辨證法なるものは、單に對立的原理若くは超對立的原理に於て成立するものでなく、前者と後者との統合に於て成立する。對立的なものの領域に於ける諸階層、並置關係にある諸對立的契機とこの領域の構成原理との間の關係を示す生成的辨證法は絶對動の辨證法と稱せらるべく、また超對立的原理領域に於て單獨に行はれる辨證法は超生成的絶對靜の辨證法と言はれるべく、而てこの兩辨證法の高次的止揚に於て成立つ辨證法は從つて超生成卽生成的辨證法として絶對靜卽絶對動としての全體的、現實的な眞理論的絶對辨證法たるを示す。而て先きに我々によつて學的哲學一般への通路たるべきものとして或は原理的根柢として確立せられたる眞理自體が最高形式原理たる純粹形相と最高内容原理たる純粹理念との二重本質的原理を其の本性に併せもつといふことは、正に斯くの如き眞理論的絕對辨證法の可能根據を其の純粹圖式に於て示すものたるに外ならぬ。而て眞理論的絕對辨證法なるものは、ヌッピッゼの言ふ所の論理的辨證法と眞理論的辨證法との統一辨證法たるべきものである故、内容的なものと無内容的なもの、對立的なものと超對立的なものとは、眞理自體の二重本質的原理の純粹圖式に基いて根源的に統一せられる。かくて單に眞理論的還元の上昇の道のみが許容され、眞理自體よりの下降の道が排けられたヌッピッゼの眞理論とは異つて、我々の言ふ所の眞理論的絕對辨證法は、上昇と下降、還元と導出との兩道を具有する所の、圓還運動をなす所の、始元が終結であり、終結がまた始元である所の辨證法たるを意味するものたることが明かにされる。此の眞理論的絕對辨證法の辨證法的運動に從つて種々なる眞理論的諸領域が構成されるのであるが、我々の既に論明せるところによれば、眞理自體なるものは、其の純粹形相及び純粹理念の原理的二重本質性によつて常に各領域の原理的根柢として、夫々の領域の構成原理若くは領域範疇を規制する形式性一般の原理たるのみならず、我々にとりての眞理若くは我々に對する眞理の如き內容的なものをして其の內容性を自覺せしむる所の卽ち眞理論的轉換をなさしむる所の原動因たるべき內容性一般を規定する原理をも意味すべきものであつたのである。

かくして形相學或は理念學を究極目標とする所の純粹現實學としての哲學は、この二重本質的な眞理存在自體を原理的前提とすべきものたること、又、この眞理存在自體の靜的側面と動的側面との辨證法的轉換の理法の經路が我々の云ふ所の眞理論的絕對辨證法であること、更に哲學の現實性の問題は、この辨證法の運動に隨つての眞理存在自體の哲學的絕對主觀に於ける顯現があらゆる立場性を越えて而も其れらを包むところの理觀(テオーリア)によつて始めて明かにさるべきこと等が我々の今迄に於て明かにしたところである。然し私は、理觀と行爲的主體との關係を中心とする所の「形の論理學」の問題については殆ど觸れるところがなかつたのであるが他日稿を改めてそれを論じたいと思ふ。

(昭和十三年四月稿了)

附記――此の小論はヌツビッゼの著"Wahrheit und Erkenntnisstruktur, 1926"と、畏友曾天從君の直接間接の鞭韃とに負ふ所甚大である。此處に於て私は心よりの感謝を表したい。

彙報

哲學科講義題目　昭和十三年度

（括弧内の數字は毎週時數）

東洋哲學

特殊講義　儒學と國民道德（二）　今村教授

東洋哲學史概說　日本儒學史概說（二）　後藤助教授

講讀及演習

禮　記（二）　今村教授

近思錄集註論語注疏（二）　後藤助教授

西洋哲學

哲學概論（二）　岡野教授

西洋哲學史概說　近世哲學史（二）　淡野助教授

特殊講義　アリストテレスの存在論（二）　岡野教授

講讀及演習

Aristoteles: Ueber die Seele (übertragen von Adolf Lasson). (二)　岡野教授

Max Weber: Wirtschaft und Gesellschaft. (二)　淡野助教授

倫理學

倫理學概論（二）　世良教授

西洋倫理學史　古代及中世（二）　柳田助教授

特殊講義　行爲の本質に就て（二）　世良教授

講讀及演習

Cohen: Ethik des reinen Willens. (二)　世良教授

心理學

心理學概論（二）　飯沼教授

心理學實驗（四）　飯沼教授

講讀及演習

H. Werner: Einführung in die Entwicklungspsychologie. (二) 飯沼教授

教育學

教育學概論(二) 伊藤教授

教育史概說 近世教育史(二) 福島助教授

特殊講義

古代及中世支那教育思想(二) 伊藤教授

辨證法神學の教育學(二) 福島助教授

講讀及演習

Fouillée, Alfred: L'Enseignement au Point de Vue National. 伊藤教授

E. Grisebach: Die Grenzen des Erziehers und seine Verantwortung. (二) 福島助教授

社會學

社會學概論(三) 岡田講師

昭和十三年九月一日印刷
昭和十三年九月十五日發行

哲學科研究年報（第五輯）

編輯兼發行者　臺北帝國大學文政學部

東京市蒲田區仲六郷一丁目五番地
印刷者　株式會社三省堂蒲田工場
代表者　喜多見　昇

臺北市明石町二丁目六番地
發賣所　東都書籍株式會社臺北支店
電話臺北四一二六番
振替口座臺灣五七五八番

兄